D0548509

Jack Vance

De draken-
ruiters

Eerste druk oktober 1997

Vertaling Jaime Martijn
Omslagillustratie Peter A. Jones – copyright © Solar
Wind Library

Copyright © 1980 Jack Vance
Copyright Nederlandse vertaling © 1980 J.M. Meulenhoff bv,
Amsterdam
Meulenhoff-*M is een imprint van J.M. Meulenhoff bv,
Amsterdam
Oorspronkelijke titel *The Dragon Masters*

ISBN 90 290 5488 3 / CIP / NUGI 335

Een

Het verblijf van Joaz Banbeck, diep uitgehakt in het hart van een kalksteenrots, bestond uit vijf afzonderlijke kamers op vijf verschillende niveaus. Bovenaan bevonden zich het reliquarium en een formele raadkamer; het eerste was een vertrek van sombere luister dat de diverse archieven, trofeeën en aandenkens van de Banbecks herbergde; het tweede was een lange, smalle zaal met een donkere borsthoge lambrizering en daarboven een witgepleisterd gewelf dat zich over de volle breedte van de rotspiek uitstrekte, zodat de balkons aan de ene zijde uitkeken op het Banbeckdal en aan de andere kant op Kergans Weg.

Daar beneden waren Joaz Banbecks privé-verblijven: een zitkamer en een slaapvertrek, daarna zijn studeerkamer en ten slotte, helemaal onderaan, een werkplaats waar Joaz niemand behalve zichzelf toeliet.

Men kwam binnen door de studeerkamer, een grote L-vormige ruimte met een bewerkelijk gewelfd plafond van graatribben, waarvan vier met granaten bezette luchters afhingen. Deze waren nu donker; het vertrek werd slechts verlicht door het waterige grijze schijnsel van vier geslepen glasplaten waarop, volgens het principe van de *camera obscura*, verschillende uitzichten over het Banbeckdal te zien waren. De muren waren bedekt met verhout riet; een tapijt met patronen van hoeken, vierkanten en cirkels in kastanje, bruin en zwart lag op de vloer.

Middenin de studeerkamer stond een naakte man, alleen gekleed in het lange bruine haar dat op zijn rug hing en de gouden halsband die zijn nek omklemde. Zijn gelaatstrekken waren scherp en hoekig, zijn lichaam mager; hij scheen te luisteren, of misschien mediteerde hij. Af en toe keek hij vluchtig naar een gele marmeren globe op een schap aan de muur, waarna zijn lippen zich bewogen, alsof hij zich een zin of een reeks van ideeën in het geheugen prentte.

Aan de overkant van de studeerkamer zwaaide langzaam een zware deur open. Een jonge vrouw met een gezicht als een bloem tuurde erdoor, met een ondeugende, schalkse uitdrukking. Op het zien van de naakte man klapte ze haar hand voor haar mond om een kreet te smoren. De naakte man draaide zich om, maar de zware deur was al dichtgezwaaid.

Even bleef hij diep in gepeins verzonken staan, toen liep hij langzaam naar de muur aan de binnenkant van de L. Hij liet een deel van de boekenkast draaien, stapte door de opening, en achter hem sloeg de kast dof weer dicht. Een wenteltrap aflopend kwam hij uit in een kamer die ruw uit de rots was gehakt: Joaz Banbecks werkkamer. Op een werkbank lagen gereedschappen, metalen vormen en stukken, een rij elektromotorische cellen, stukken draad: de huidige onderwerpen van Joaz Banbecks nieuwsgierigheid.

De naakte man keek even naar de werkbank, raapte een van de dingen op, bestudeerde het met iets dat aan neerbuigendheid grensde, hoewel zijn blik even helder en verwonderd was als die van een kind. Gedempte stemmen uit de studeerkamer drongen door tot de werkkamer. De naakte man hief het hoofd om te luisteren, bukte zich toen onder de bank. Hij tilde een steenblok op, gleed door het gat in een duistere leegte. Toen hij de steen had teruggezet, raapte hij een lichtgevende staf op en liep een smalle tunnel af die na enige tijd omlaag helde en uitkwam in een natuurlijke grot. Op onregelmatige afstanden van elkaar straalden lichtgevende buizen een flets schijnsel uit, nauwelijks voldoende om het donker te doordringen. De naakte man beende stevig verder terwijl zijn zijden haar als een stralenkrans achter hem aan wapperde.

In de studeerkamer lagen de minstreelmaagd Phade en een oude hofmaarschalk met elkaar overhoop. 'Ik heb hem echt gezien!' hield Phade vol. 'Met deze twee ogen van mij, een van de sacerdotes, die daar zo stond, precies zoals ik beschreven heb.' Ze trok boos aan zijn elleboog. 'Denk je dat ik beroofd van zinnen ben, of hysterisch?'

Rife, de hofmaarschalk, haalde zijn schouders op omdat hij zich niet zus en niet zo wilde binden. 'Ik zie hem nu niet.' Hij klom de trap op, tuurde in de slaapkamer. 'Leeg. De deuren boven zijn vergrendeld.' Hij keek Phade aan met een blik als een uil. 'En ik was op mijn post bij de ingang.'

'Je zat te slapen. Zelfs toen ik binnen kwam zat je te snurken!'

'Je vergist je; ik kuchte alleen maar.'

'Met gesloten ogen, knikkebollend?'

Rife haalde weer zijn schouders op. 'Slapend of wakend, het maakt allemaal niets uit. Toegegeven dat het wezen zich toegang wist te verschaffen, hoe is hij dan vertrokken? Ik was wakker toen je me riep, zoals je moet erkennen.'

'Blijf dan op wacht, terwijl ik Joaz Banbeck zoek.' Phade rende de gang uit die even verderop aansloot op het Vogelpad, zo genoemd naar de reeksen fabelachtige dieren in lapis, goud, cinnaber, malachiet en marcasiet die in het marmer waren ingelegd. Door een boog van groene en grijze jade met spiraalzuilen kwam ze op Kergans Weg, een natuurlijke pas die de hoofdstraat van het dorp Banbeck vormde. Bij de poort riep ze een paar jongens van het land aan. 'Ren naar de fokkerij, zoek Joaz Banbeck! Haast je, breng hem hier; ik moet hem spreken!'

De jongens gingen rennend op weg naar een lage cilinder van zwarte baksteen die een mijl naar het noorden lag.

Phade wachtte. Met de zon Skene in het zenit was de lucht warm; de akkers met wikke, bellegarde en spharganum gaven een prettige geur af. Phade leunde tegen een hek. Nu begon ze zich af te vragen hoe dringend haar nieuws eigenlijk wel was, of het eigenlijk wel gebeurd was. 'Nee!' zei ze ferm tegen zichzelf. 'Ik heb hem gezien! Ik heb hem gezien!'

Aan beide kanten rezen hoge witte kliffen op naar de Banbeckzoom met daarachter bergen en pieken en daarboven was de overspannende donkere hemel gevlekt met wolkveren. Skene glitterde duizelend fel, een minuscule vlok van stralend licht.

Phade zuchtte, er half van overtuigd dat ze zich had vergist. Nogmaals, maar minder heftig, stelde ze zichzelf gerust. Nog nooit had ze een sacerdote gezien; waarom zou ze zich er nu dan één verbeelden?

De jongens hadden de fokkerij bereikt en verdwenen in het stof van de kralen waar de dieren werden afgereden. Schubben glansden en flikkerden; stalknechten, drakenruiters, wapensmeden in zwart leder waren aan het werk. Na een ogenblik kwam Joaz Banbeck in het zicht. Hij besteeg een hoge Spin met dunne poten, spoorde hem aan tot zijn snelste hoofddrukkende draf, dreunend over het spoor naar het dorp Banbeck.

Phades onzekerheid werd groter. Zou Joaz zich ergeren? Zou hij haar nieuws met een ongelovige blik van de hand wijzen? Onbehaaglijk sloeg ze zijn nadering gade. Ze was pas een maand geleden naar het Banbeckdal gekomen en ze voelde zich nog niet zeker van haar status. Haar leermeesters hadden haar ijverig geoefend in het onvruchtbare kleine dal in het zuiden waar zij geboren was, maar het verschil tussen onderwijs en werkelijkheid verbijsterde haar af en toe. Ze had geleerd dat alle mannen aan een beperkte groep gedragswijzen gehoorzaamden; Joaz Banbeck evenwel nam dergelijke beperkingen niet in acht en Phade vond hem volslagen onberekenbaar.

Ze wist dat hij een betrekkelijk jonge man was, hoewel zijn uiterlijk geen aanwijzingen gaf omtrent zijn leeftijd. Hij had een bleek en sober gezicht waarin grijze ogen straalden als kristallen, een brede dunne mond die op plooibaarheid duidde, maar nooit ver afweek van een rechte streep. Hij bewoog zich loom; zijn stem klonk niet heftig; hij veinsde geen behendigheid met sabel of pistool. Hij scheen opzettelijk ieder gebaar te vermijden dat de bewondering of genegenheid van zijn onderdanen zou kunnen oproepen. Aanvankelijk had Phade gedacht dat hij koud was, maar na enige tijd veranderde ze van gedachte. Hij was, luidde haar slotsom, een man die eenzaam was en zich verveelde en een kalme humor bezat die van tijd tot tijd nogal grimmig leek. Maar hij behandelde haar hoffelijk en Phade, die hem beproefde met al haar honderd en één koketterieën, meende niet zelden een vonk van interesse te ontwaren. Joaz Banbeck steeg af van de Spin en stuurde hem terug naar zijn stal. Phade kwam beschroomd naar voren en Joaz schonk haar een spottende blik. 'Wat vereist zo'n dringende oproep? Heb je je de negentiende positie herinnerd?'

Phade bloosde van verwarring. Ongekunsteld had ze hem de onverdroten nauwgezetheid van haar oefening beschreven; nu doelde Joaz op een punt in een van de classificaties dat haar was ontschoten.

Phade sprak vlug, weer opgewonden: 'Ik deed de deur naar uw studeerkamer open, zachtjes, langzaam. En wat zag ik daar? Een sacerdote, naakt in zijn haar! Ik rende weg om Rife te halen. Toen we terugkwamen – was de kamer leeg!'

Joaz' wenkbrauwen kromden zich licht; hij keek door het dal. 'Vreemd.' Na een ogenblik vroeg hij: 'Je weet zeker dat hij je niet heeft gezien?'

'Nee. Ik denk van niet. Maar toen ik terugkwam met die stomme ouwe Rife was hij verdwenen! Is het waar dat zij magie kennen?'

'Daar kan ik je niets over zeggen,' antwoordde Joaz.

Ze liepen terug over Kergans Weg, door tunnels en gangen met rotswanden en kwamen eindelijk bij de toegangshal. Rife zat opnieuw boven zijn tafel te soezen. Joaz gebaarde Phade naar achter, stootte toen de deur naar zijn studeerkamer open. Hij keek links en rechts, zijn neusvleugels trilden. De kamer was verlaten. Hij klom de trap op, onderzocht het slaapvertrek, kwam terug naar de studeerkamer. Tenzij er inderdaad magie in het spel was, had de sacerdote zich van een geheime toegang bediend. Met dit in gedachten trok hij de deur van de boekenkast open, daalde af naar de werkkamer, en beproefde opnieuw de lucht of hij de zuurzoete geur van de sacerdotes rook. Een vleug? Mogelijk.

Joaz onderzocht de werkplaats centimeter voor centimeter, overal onder elke hoek naar turend. Ten slotte, in de wand onder de werkbank, bespeurde hij een nauw waarneembare spleet die een rechthoek in de muur aangaf.

Joaz knikte met wrange voldoening. Hij kwam overeind en ging terug naar zijn studeerkamer. Hij bekeek de schappen. Wat had hij hier dat een sacerdote belang kon inboezemen? Boeken, folio's pamfletten? Waren ze de kunst van het lezen eigenlijk wel machtig? De volgende keer dat ik een sacerdote ontmoet zal ik het hem eens vragen, dacht Joaz vaag; hij zal me in ieder geval de waarheid vertellen. Bij nader inzien wist hij dat het een lachwekkende vraag zou zijn; de sacerdotes, naakt als ze mochten zijn, waren geenszins barbaren. Zij waren zelfs de bron van zijn vier uitzichtpanelen – geen geringe prestatie.

Hij inspecteerde de vergeelde marmeren globe die hij tot zijn waardevolste bezittingen rekende – een afbeelding van het mythische Eden. Zo te zien was hij niet aangeraakt. Op een andere plank stonden modellen van de Banbeckdraken: de roestrode Helleveeg; de Langhoornige Moordenaar en zijn neef de Schrijdende Moordenaar; de Blauwe Gruwel; de Duivel, laag bij de grond, immens sterk, de staart uitgerust met een stalen kogel; de logge Jagger, met zijn schedelkap gepolijst en wit als een ei.

Iets terzijde stond de stamvader van de hele groep – een parelbleek wezen, rechtop op twee benen, met twee veelzijdige centrale ledematen, een paar veelvoudig gelede armen aan de nek. Prachtig gedetailleerd als deze modellen waren, waarom zouden ze de nieuwsgierigheid van een sacerdote prikkelen? Er was geen enkele reden, aangezien de originelen iedere dag zonder beletsel bestudeerd konden worden.

En de werkplaats? Joaz wreef zijn lange magere kin. Hij maakte zich geen illusies over de waarde van zijn werk. Loos geknutsel, meer niet. Hij zette de bespiegelingen van zich af. Hoogst waarschijnlijk was de sacerdote zonder speciale reden gekomen, was het bezoek wellicht onderdeel van een permanente inspectie. Maar waarom?

Gebons op de deur: Rifes oneerbiedige vuist. Joaz deed open.

'Joaz Banbeck: een bericht van Ervis Carcolo uit de Gelukkige Vallei. Hij wenst met u te overleggen, en wacht op dit ogenblik uw antwoord af op de Banbeckzoom.'

'Goed,' zei Joaz. 'Ik zal overleggen met Ervis Carcolo.'

'Hier? Of op de Banbeckzoom?'

'Op de zoom, over een half uur.'

Twee

Tien mijl van het Banbeckdal, na een door wind geteisterde wildernis van kammen, rotsruggen, stenen pieken, verbazingwekkende spleten, kale vlakten en velden vol rolkeien, lag de Gelukkige Vallei. Even breed als het Banbeckdal maar alleen half zo lang en half zo diep, was zijn bed van door de wind gedeponeerde aarde maar half zo dik en overeenkomstig minder produktief.

De kanselier van de Gelukkige Vallei was Ervis Carcolo, een gedrongen man met korte benen, een heftig gezicht, een zware mond en een humeur dat afwisselend boertig en toornig was. In tegenstelling tot Joaz Banbeck deed niets hem meer plezier dan zijn bezoeken aan de drakenkazerne waar hij drakenruiters, stalknechten en draken zonder onderscheid vergastte op een litanie van geschreeuwde kritiek, aansporingen en scheldwoorden.

Ervis Carcolo was een energiek man die er op gebrand was de Gelukkige Vallei het overwicht terug te geven dat hij ongeveer twaalf generaties geleden had bezeten. In die harde tijden, voor de komst van de draken, streden de mensen hun eigen gevechten, en de mannen van de Gelukkige Vallei waren vermaard om hun durf, hun behendigheid en meedogenloos gedrag. Banbeckdal, de Grote Noordelijke Kloof, Clewhaven, het Sadrodal en het Fosforravijn erkenden allemaal het gezag van de Carcolo's.

Toen daalde uit de hemel het schip neer van de

Grondvormen, of grefs, zoals ze toen genoemd werden. Het schip doodde en ving de voltallige bevolking van Clewhaven; poogde dit zelfde in de Grote Noordelijke Kloof, maar slaagde daar slechts gedeeltelijk; daarna bombardeerde het de overblijvende nederzettingen met explosieve granaten. Toen de overlevenden terugkropen naar hun verwoeste dalen was de overheersing door de Gelukkige Vallei een wassen neus. Een generatie later, tijdens het Tijdperk van het Natte IJzer, kwam zelfs daar een eind aan. In een beslissend gevecht werd Goss Carcolo gevangen genomen door Kergan Banbeck en gedwongen zich met zijn eigen mes te ontmannen.

Er verstreken vijf jaar van vrede, en toen kwamen de Grondvormen terug. Toen ze het Sadrodal hadden ontvolkt landde het grote zwarte schip in het Banbeckdal, maar de bewoners waren gewaarschuwd en de bergen ingevlucht. Tegen het vallen van de nacht rukten drieëntwintig van de Grondvormen op achter hun nauwgezet getrainde krijgers. Dit waren ettelijke pelotons Zware Troepen, een eskader Wapenvoerders – dezen waren nauwelijks te onderscheiden van de mannen van Aerlith – en een troep Spoorzoekers. Deze laatsten waren nadrukkelijk anders. Toen brak de storm van de zonsondergang los boven het dal, waardoor de vliegers van het schip onbruikbaar werden, wat Kergan Banbeck de kans gaf de verbazingwekkende prestatie te leveren die zijn naam een legende op Aerlith maakte. In plaats van zich aan te sluiten bij de dodelijk beangste vlucht van zijn mensen naar de Hoge Kegels, verzamelde hij zestig krijgers en sprak ze moed in door ze te beschamen met honende en beschimpende opmerkingen. Uit een hinderlaag springend hakten zij één heel peloton Zware Troepen aan stukken, joegen de overigen op de vlucht, en vingen de drieëntwintig Grondvormen bijna voor die beseften dat er iets mis was. De Wapenvoerders hielden zich koortsig van frustratie op de achtergrond, niet bij machte hun wapens te gebruiken uit angst hun meesters te vernietigen. De Zware Troepen strompelden naar voren om aan te vallen en bleven pas staan toen Kergan Banbeck ze toeschreeuwde dat hun meesters de eersten zouden zijn die stierven. In verwarring trokken de Zware Troepen zich terug; Kergan Banbeck, zijn mannen en de drieëntwintig gevangenen ontsnapten in het donker.

De lange nacht van Aerlith verstreek; de dageraadstorm blies uit het oosten, donderde over het dal, trok zich majesteitelijk terug in het westen; Skene rees op als een laaiende storm. Er kwamen drie mannen uit het schip van de Grondvormen: een Wapenvoerder en een tweetal Spoorzoekers. Ze klommen tegen de rotsen op naar de Banbeckzoom terwijl boven hen een klein vlot van de Grondvormen heen en weer fladderde, weinig meer dan een zwevend platform, duikend en zwenkend in de wind als een vlieger met een slecht evenwicht. De drie mannen sjouwden naar de Hoge Kegels in het zuiden, een gebied van chaotische schaduwen en lichten, versplinterde rots en omgevallen pieken, keien gestapeld op keien. Dit was het traditionele vluchtoord van opgejaagde mensen.

De Wapenvoerder bleef staan voor de Kegels en riep Kergan Banbeck, vroeg hem te onderhandelen.

Kergan Banbeck kwam naar voren en nu volgde de eigenaardigste samenspraak in de geschiedenis van Aerlith. De Wapenvoerder sprak de taal der mensen met moeite, daar zijn lippen, tong en strottehoofd gewend waren aan de taal van de Grondvormen.

'Je houdt drieëntwintig van onze Geëerden gevangen. Het is noodzakelijk dat je ze naar voren geleidt, in alle nederigheid.' Hij sprak nuchter, met een zweem van zachtmoedige melancholie, bevelend noch dringend. Zoals zijn linguïstische gewoonten gevormd waren naar Grondvormpatronen, zo ook zijn geestelijke processen.

Kergan Banbeck, een lange magere man met glanzend geverniste zwarte wenkbrauwen en zwart haar dat gemodelleerd en gevernist was in een kam van vijf pieken, liet een blaffend, vreugdeloos gelach horen. 'En wat denk je van de mensen van Aerlith die gedood zijn? En de mensen die gevangen worden gehouden aan boord van jullie schip?'

De Wapenvoerder boog zich ernstig naar voren, zelf een indrukwekkend man met een edel arendsgezicht. Hij was haarloos afgezien van kleine krullen dun geel dons. Zijn huid glansde alsof hij gepolijst was; zijn oren, waar hij het sterkst verschilde van de ongewijzigde mensen van Aerlith, waren kleine, broze flappen.

Hij droeg een eenvoudig kledingstuk in donkerblauw en wit en had geen wapens bij zich behalve een kleine veelzijdige uitwerper. Met volmaakte zelfbeheersing en kalme redelijkheid antwoordde hij op Kergan Banbecks vragen. 'De mensen van Aerlith die gedood zijn zijn dood. Zij op het schip zullen samengesmolten worden met het substratum, waar de toevoeging van vers bloed van buiten van waarde is.'

Kergan Banbeck nam de Wapenvoerder verachtelijk peinzend op. In sommige opzichten, dacht hij, leek deze gewijzigde en zorgvuldig ingeteelde man op de sacerdotes van zijn eigen planeet, vooral met zijn heldere lichte huid, de scherp getekende gelaatstrekken, de lange armen en benen. Misschien was er telepatie in het spel, of misschien had hij een spoor van de kenmerkende zuurzoete geur opgevangen. Toen hij zijn hoofd omdraaide zag hij nog geen vijftig passen verder een sacerdote tussen de rotsblokken staan – een naakte man afgezien van zijn gouden halsband en het lange bruine haar dat achter hem aan woei als een wimpel. De oeroude etiquette gebood Banbeck door hem heen te kijken, te veinzen dat hij niet bestond. Na een snelle blik deed de Wapenvoerder hetzelfde.

'Ik eis dat je de mensen van Aerlith in je schip loslaat,' zei Kergan Banbeck met vlakke stem.

De Wapenvoerder schudde glimlachend zijn hoofd, deed zijn uiterste best om begrepen te worden. 'Deze personen zijn niet ter sprake; hun –' hij zweeg even, zoekend naar woorden – 'hun bestemming is... uitgemeten, quantumgewijs, voorbeschikt. Niets kan meer gezegd worden.'

Banbecks glimlach veranderde in een cynische grijns. Hij bleef gereserveerd zwijgen terwijl de Wapenvoerder verder stuntelde. De sacerdote kwam naar voren, steeds met een paar passen tegelijk. 'Je begrijpt,' zei de Wapenvoerder, 'dat er een patroon voor de gebeurtenissen bestaat. Het is de functie van lieden als ik om de gebeurtenissen te vormen zodat ze in het patroon passen.' Hij bukte zich, raapte met een sierlijke beweging van zijn arm een kleine, hoekige kiezel op. 'Net zoals ik dit stukje steen zo kan slijpen dat het in een ronde opening past.'

Banbeck stak zijn hand uit, pakte de kiezel, smeet hem hoog over de warboel van keien. 'Dat stukje steen zul je nooit slijpen zodat het in een ronde opening past.'

De Wapenvoerder schudde licht afkeurend zijn hoofd. 'Er is altijd meer steen.'

'En er zijn altijd meer gaten,' verklaarde Banbeck.

'Ter zake dan,' zei de Wapenvoerder. 'Ik stel voor deze situatie tot zijn juiste vorm te kneden.'

'Wat bied je aan in ruil voor de drieëntwintig grefs?'

De Wapenvoerder gaf een ongemakkelijke ruk met zijn schouder. De ideeën van deze man waren even wild, barbaars en willekeurig als de geverniste pieken van zijn kapsel. 'Als je dat wenst kan ik je onderricht en advies geven, zodat...'

Kergan Banbeck maakte een plots gebaar. 'Ik stel drie voorwaarden.' De sacerdote stond nu maar op tien pas afstand. 'Ten eerste,' zei Banbeck, 'een garantie tegen toekomstige overvallen op de mensen van Aerlith. Er moeten voortdurend vijf grefs onder onze hoede blijven als gijzelaars. Ten tweede – ook om eeuwigdurende geldigheid te verkrijgen voor deze garantie – moet je mij een ruimteschip bezorgen, volledig uitgerust, van energie voorzien, bewapend, en je moet mij instrueren in het gebruik ervan.'

De Wapenvoerder wierp zijn hoofd in zijn nek en maakte een reeks blatende geluiden door zijn neus. 'Ten derde,' vervolgde Banbeck, 'moet je alle mannen en vrouwen die nu aan boord zijn van je ruimteschip vrijlaten.'

De Wapenvoerder knipperde met zijn ogen, sprak vlugge schorre woorden van verbijstering tegen de Spoorzoekers. Ze roerden zich, onbehaaglijk en ongeduldig, Banbeck schuins aankijkend alsof hij niet alleen een wildeman was maar ook waanzinnig. Boven het tafereel zweefde de vlieger; de Wapenvoerder keek op en scheen moed uit de aanblik te putten. Zich ferm naar Banbeck wendend, sprak hij alsof de voorgaande gedachtenwisseling niet had plaatsgevonden. 'Ik kom je bevelen dat de drieëntwintig Geëerden ogenblikkelijk vrijgelaten moeten worden.'

Banbeck herhaalde zijn eigen eisen. 'Je moet me een ruimteschip verschaffen, je mag geen overvallen meer plegen, je moet de gevangenen loslaten. Stem je daarmee in, ja of nee?'

De Wapenvoerder leek in de war. 'Dit is een eigenaardige situatie – onbepaald, onmeetbaar.'

'Kun je me niet begrijpen?' blafte Banbeck geërgerd. Hij keek even naar de sacerdote, een daad van twijfelachtig decorum, en brak toen volledig met de traditie. 'Sacerdote, hoe moet ik handelen met deze stomkop? Hij schijnt me niet te horen.'

De sacerdote deed een stap naar voren, zijn gezicht even leeg en nietszeggend als daarvoor. Omdat hij leefde naar een leerstelling die actieve of opzettelijke bemoeienis met de zaken van andere mensen verbood, kon hij op iedere vraag alleen een specifiek en beperkt antwoord geven. 'Hij hoort je, maar er bestaan tussen jullie geen gemeenschappelijke ideeën. Zijn gedachtenstructuur is afgeleid van die van zijn meesters, en is onverenigbaar met die van jou. Hoe je met hem moet handelen kan ik niet zeggen.'

Kergan Banbeck keek weer naar de Wapenvoerder. 'Heb je gehoord wat ik je gevraagd heb? Begrijp je de eisen die ik stel voor de vrijlating van de grefs?'

'Ik heb je duidelijk gehoord,' antwoordde de Wapenvoerder. 'Je woorden hebben geen betekenis, het zijn absurditeiten, paradoxen. Luister aandachtig naar mij. Het is geordonneerd, volmaakt, een quantum van het lot, dat je ons de Geëerden overgeeft. Het is onregelmatig, ongeordonneerd, dat jij een schip zou krijgen, of dat je andere eisen vervuld zouden worden.'

Banbecks gezicht werd rood; hij draaide zich half naar zijn mannen maar weerhield zich, beheerste zijn woede, sprak langzaam en overdreven duidelijk: 'Ik heb iets dat jij wilt hebben. Jij hebt iets dat ik wil hebben. Laten we ruilen.'

Twintig seconden lang staarden de twee mannen elkaar in de ogen. Toen haalde de Wapenvoerder diep adem. 'Ik zal het in jouw woorden uitleggen, zodat je het zult begrijpen. Zekerheden – nee, geen zekerheden; definiteiten bestaan. Dit zijn eenheden van zekerheid, quanta van noodzaak en orde. Het bestaan is de gestage opeenvolging van deze eenheden, de een na de ander. De activiteit van het heelal kan uitgedrukt worden door te verwijzen naar deze eenheden. Onregelmatigheid, absurditeit – deze zijn als een halve man, met een half brein, een half hart, halve vitale organen. Het is niet toegestaan dat die bestaan. Dat jij drieëntwintig Geëerden vasthoudt als gevangenen is zo'n absurditeit, een belediging van de rationele stroom van het heelal.'

Kergan Banbeck wierp zijn handen omhoog, keerde zich opnieuw naar de sacerdote. 'Hoe kan ik een eind maken aan deze onzin? Hoe kan ik hem tot rede brengen?'

De sacerdote dacht na. 'Hij spreekt geen onzin, maar een taal die jij niet begrijpt. Je kunt hem jouw taal laten begrijpen door alle kennis en oefening uit zijn geest te wissen en die te vervangen door je eigen patronen.'

Banbeck streed tegen een verwarrend gevoel van frustratie en onwezenlijkheid. Om exacte antwoorden aan een sacerdote te ontlokken, was een exacte vraag vereist; het was eigenlijk verrassend dat deze sacerdote bleef en zich liet ondervragen. Heel zorgvuldig nadenkend zei hij: 'Hoe stel je voor dat ik deze man behandel?'

'Laat de drieëntwintig grefs vrij.' De sacerdote raakte de dubbele knoppen vooraan zijn gouden halsband aan; een ritueel gebaar dat aangaf dat hij, hoe onwillig ook, een daad had gepleegd waarvan het denkbaar was dat hij het verloop van de toekomst wijzigde. Opnieuw tikte hij tegen zijn halsband en intoneerde: 'Laat de grefs vrij; dan zal hij vertrekken.'

Kergan Banbeck riep in onbeheerste woede: 'Wie dien jij eigenlijk? Mens of gref? Laat ons de waarheid horen! Spreek!' 'Door mijn geloof, door mijn belijdenis, door de waarheid van mijn *tand* dien ik niemand behalve mijzelf.' De sacerdote keerde zich naar de enorme piek van de Gethronberg en liep langzaam weg; de wind blies zijn fijne lange haar opzij.

Banbeck zag hem gaan. Toen richtte hij zich koud en besluitvaardig weer naar de Wapenvoerder. 'Jouw beschouwing over zekerheden en absurditeiten is belangwekkend. Ik geloof dat je ze door elkaar haalt. Hier komt een zekerheid vanuit mijn standpunt! Ik zal de drieëntwintig grefs niet vrijlaten tot je aan mijn eisen tegemoet komt. Als je ons weer aanvalt zal ik ze doormidden hakken, om jouw manier van spreken te illustreren en verwezenlijken, en je misschien te overtuigen dat absurditeiten mogelijk zijn. Meer zeg ik niet.'

De Wapenvoerder schudde langzaam het hoofd, medelijdend. 'Luister, ik zal het uitleggen. Bepaalde omstandigheden zijn ondenkbaar, ze zijn ongemeten, on-lottig...'

'Ga,' donderde Banbeck. 'Anders kun je je aansluiten bij de drieëntwintig Geëerde grefs, en dan zal ik je leren hoe wezenlijk het ondenkbare kan worden!'

De Wapenvoerder en de twee Spoorzoekers draaiden zich schor mompelend om, trokken zich terug naar de Banbeckzoom, daalden af naar het dal. Boven hen schoot de vlieger heen en weer, zwenkend, fladderend, dwarrelend als een vallend blad.

Toen ze de terugtocht vanuit de rotsen volgden

waren de mannen van Banbeck even later getuige van een verrassend schouwspel. Een half uur nadat de Wapenvoerder terug was in het schip kwam hij weer naar buiten galopperen, dansend en springend. Anderen volgden hem – Wapenvoerders, Spoorzoekers, Zware Troepen en nog acht grefs – allemaal schokkend, springend, heen en weer rennend met rukkerige, verstrooide stappen. De sluizen van het schip flitsten op met licht in verschillende kleuren en er begon een langzaam scheller wordend geluid van gekwelde machinerie.

'Ze zijn gek geworden!' mompelde Kergan Banbeck. Hij aarzelde even, gaf toen een bevel. 'Alle mannen verzamelen; we vallen aan terwijl ze hulpeloos zijn!'

Omlaag uit de Hoge Kegels stroomden de mannen van het Banbeckdal. Toen ze de rotsen afkwamen liepen een paar van de gevangen mannen en vrouwen van het Sadrodal schuchter het schip uit en toen ze niet werden tegengehouden vluchtten ze weg. Anderen volgden hen – en nu bereikten de krijgers van Banbeck de bodem van het dal.

Naast het schip was de waanzin gekalmeerd: de buitenwerelders zaten stil in elkaar gedoken naast de romp. Toen klonk er opeens een verbijsterende ontploffing, een vlaag van geel en wit vuur. Het schip viel uit elkaar. Een immense krater ontsierde het dal; brokken metaal begonnen tussen de aanvallende Banbecksoldaten te vallen.

Kergan Banbeck staarde naar de verwoesting. Langzaam, met afzakkende schouders, riep hij zijn mensen bijeen en leidde hen terug naar hun verwoeste vallei. Achteraan, in ganzepas, aan elkaar gebonden met touwen, kwamen de drieëntwintig grefs, met doffe ogen, volgzaam, al ver verwijderd van hun vroegere bestaan. Het weefsel van het lot was onherroepelijk; de huidige omstandigheden konden niet van toepassing zijn op drieëntwintig Geëerden. Het mechanisme moest zich dus aanpassen om de rustige voortgang van gebeurtenissen te verzekeren. De drieëntwintig waren bijgevolg iets anders dan Geëerden: een volslagen ander soort wezen. Als dat zo was, wat waren zij dan? Elkaar deze vraag stellend op droevige, kwakende toon marcheerden ze de rotswand af naar het Banbeckdal.

Drie

In de lange jaren van Aerlith wisselde het lot van de Gelukkige Vallei en het Banbeckdal met de bekwaamheden van de tegenover elkaar staande Carcolo's en Banbecks. Gouden Banbeck, Joaz' grootvader, was gedwongen de Gelukkige Vallei als onderhorig gebied te laten gaan toen Uttern Carcolo, een talentvol drakenfokker, de eerste Duivels produceerde. Op zijn beurt ontwikkelde Gouden Banbeck de Jaggers, maar stond toe dat er een ongemakkelijke wapenstilstand bleef bestaan.

Nieuwe jaren verstreken; Ilden Banbeck, de

zoon van Gouden en een broos, onbekwaam man, werd gedood door een val van een opstandige Spin. Omdat Joaz nog een ziekelijk kind was besloot Grode Carcolo zijn kansen tegen het Banbeckdal te beproeven. Hij hield geen rekening met de oude Hendel Banbeck, oudoom van Joaz en opperdrakenmeester. De strijdmacht van de Gelukkige Vallei werd op de Breekstervlakte op de vlucht gejaagd; Grode Carcolo werd gedood en de jonge Ervis werd geschampt door een Moordenaar. Om verschillende redenen, waaronder Hendels ouderdom en Joaz' jeugd, stootte het leger van Banbeck niet door tot een definitieve beslissing. Ervis Carcolo, hoewel uitgeput door pijn en bloedverlies, trok zich tamelijk ordelijk terug en de volgende jaren heerste er een achterdochtige wapenstilstand tussen de twee aangrenzende dalen.

Joaz groeide op tot een zwaarmoedige jonge man die, als hij geen geestdriftige genegenheid bij zijn volk opriep, in ieder geval niet hartgrondig werd gehaat. Hij en Ervis Carcolo hadden een wederzijdse minachting gemeen. Als Joaz' studeerkamer genoemd werd, met zijn boeken, schriftrollen, modellen en plannen, zijn ingewikkelde uitkijksysteem over het dal (dat volgens de geruchten door de sacerdotes was geïnstalleerd), wierp Carcolo vol walging zijn handen omhoog. 'Geleerdheid? Pah! Wat voor nut heeft al dit gerol in het braaksel van vroeger? Waar leidt het toe? Hij had als sacerdote geboren moeten worden; hij is precies dat soort zuurpruimende zwakkeling met zijn kop in de wolken!'

Een rondreizend handelaar, ene Dae Alvonso, die de vakken van minstreel, kinderkoper, psychiater en chiropractor combineerde, bracht verslag van Carcolo's laster uit aan Joaz, die zijn schouders ophaalde. 'Ervis Carcolo zou moeten paren met een van zijn eigen Jaggers,' zei hij. 'Dan fokt hij een onoverwinlijk schepsel met de bepantsering van de Jagger en zijn eigen onverwoestbare stommiteit.'

Deze opmerking bereikte mettertijd Ervis Carcolo en toevallig trof hij hem in een bijzonder zere plek. In het geheim deed hij pogingen in zijn fokkerijen een nieuwe draak te ontwikkelen: een dier dat bijna even massief was als de Jagger, met het wilde verstand en de lenigheid van de Blauwe Gruwel. Maar hij werkte met een intuïtieve en al te optimistische benadering en sloeg de raad van Bast Givven, zijn opperdrakenmeester, in de wind.

De eieren kwamen uit; een dozijn kuikens overleefde het. Ervis Carcolo bracht ze groot, afwisselend teder en berispend. Ten slotte waren de draken volwassen. Carcolo's gehoopte combinatie van razernij en onoverwinlijkheid werd verwezenlijkt in vier slome, lichtgeraakte wezens met opgezwollen romp, spillepoten en onverzadigbare eetlust. ('Alsof je een draak kunt fokken door hem te bevelen: "Besta!"' hoonde Bast Givven tegen zijn helpers en raadde hun aan: 'Wees op je hoede voor dat gebroed; het enige wat ze kunnen is je binnen bereik van hun armen sleuren.')

De tijd, moeite, voorzieningen en voedsel die aan de waardeloze bastaarden waren verspild hadden Carcolo's leger verzwakt. Aan de vruchtbare Hellevegen had hij geen gebrek; er waren voldoende Langhoornige Moordenaars en Schrijdende Monsters, maar de zwaardere en meer gespecialiseerde typen, vooral de Jaggers, waren voorhanden in verre van voldoende aantallen voor zijn plannen. De oude roem van de Gelukkige Vallei spookte door zijn dromen; eens zou hij het Banbeckdal onderwerpen en dikwijls beleefde hij in gedachten de ceremonie waarbij hij Joaz Banbeck zou verlagen tot de rang van leerling-kazernebediende.

Ervis Carcolo's ambities werden bemoeilijkt door een aantal fundamentele problemen. De bevolking van de Gelukkige Vallei was verdubbeld, maar in plaats dat hij de stad uitbreidde door nieuwe rotsen open te hakken of nieuwe tunnels te boren, bouwde Carcolo drie nieuwe drakenfokkerijen en een dozijn kazernes en legde een immens oefenveld aan. De mensen van de vallei konden kiezen: of ze persten zich in de stinkende bestaande tunnels, of ze bouwden wrakke hutten aan de voet van de klif. Fokkerijen, kazernes, oefenvelden; water werd afgeleid van het meer om de draken te drenken; enorme hoeveelheden voedsel gingen op aan het voeren van de beesten. De mensen van de Gelukkige Vallei, ondervoed, ziekelijk, ellendig,

deelden geen van Carcolo's ambities en hun gebrek aan geestdrift maakte hem woedend.

In ieder geval, toen de rondreizende Alvonso
Banbecks aanbeveling herhaalde dat Ervis Carcolo
paarde met een Jagger, ziedde Carcolo van razernij. 'Bah! Wat weet hij van het draken fokken? Ik
twijfel eraan of hij zijn eigen drakentaal wel
snapt!' Hij doelde op de wijze waarop bevelen en
instructies werden doorgegeven aan de draken;
een geheim jargon dat voor ieder leger verschilde.
Het leren van de drakentaal van de tegenstander
was het voornaamste doel van iedere drakenmees-
ter, want daardoor verwierf hij een zekere mate
van beheersing over de krijgsmacht van zijn vij-
and. 'Ik ben een praktisch man, tweemaal zoveel
waard als hij,' ging Carcolo verder. 'Kan hij draken
ontwerpen, grootbrengen, opvoeden en onder-
richten? Kan hij discipline opleggen, strijdlust
aanleren? Nee. Hij laat dat allemaal over aan zijn
drakenmeesters, terwijl hij languit op een bank
hangt, bonbons vreet, en alleen strijdt tegen het
geduld van zijn minstreelmaagden. Ze zeggen dat
hij door astrologische waarzeggerij de terugkeer
van de Grondvormen voorspelt, dat hij met zijn
hoofd schuin loopt om naar de hemel te kijken.
Verdient zo'n man macht en een voorspoedig leven? Ik zeg van niet. Is Ervis Carcolo van de Gelukkige Vallei zo'n man? Ik zeg ja, en dat zal ik aan-
tonen.'

Dae Alvonso hield kalmerend zijn hand op.

'Niet zo vlug. Hij is slimmer dan u denkt. Zijn draken verkeren in uitstekende staat; hij zoekt ze vaak op. En wat de Grondvormen betreft...'

'Praat me niet van de Grondvormen,' stormde Carcolo. 'Ik ben geen kind dat zich door boemannen schrik laat aanjagen!'

Opnieuw stak Dae Alvonso zijn hand op. 'Luister. Ik spreek in ernst, en u kunt voordeel trekken uit mijn nieuws. Joaz Banbeck liet me in zijn studeerkamer komen...'

'De beroemde studeerkamer, het is niet waar!'

'Uit een kast haalde hij een bol van kristal op een zwarte doos.'

'Aha!' hoonde Carcolo. 'Een kristallen bol!'

Dae Alvonso ging rustig verder zonder zich aan de onderbreking te storen. 'Ik heb die bol bekeken, en waarlijk, hij leek de hele ruimte te bevatten; erbinnen dreven sterren en planeten, alle hemellichamen van de groep. "Kijk goed," zei Joaz Banbeck, "nooit zul je waar ook zijn evenbeeld zien. Hij werd gemaakt door de mannen van eertijds en naar Aerlith gebracht toen ons ras hier voor het eerst kwam."

"Werkelijk," zei ik. "En wat is dit voor voorwerp?"

"Het is een hemels firmamentarium," zei Joaz. "Het beeldt alle nabije sterren af en hun respectieve posities op ieder tijdstip dat ik kies. Nu," en hier wees hij, "zie je deze witte stip? Dat is onze zon. Zie je deze rode ster? In de oude almanaks wordt hij

Coralyne genoemd. Hij draait met onregelmatige tussenpozen naar ons toe, want zo bewegen de sterren zich in deze groep. Die tussenpozen zijn steeds overeengekomen met de aanvallen van de Grondvormen."

Hier gaf ik blijk van mijn verbazing; Joaz verzekerde mij dat het waar was. "De geschiedenis van de mens op Aerlith meldt zes aanvallen van de Grondvormen, of grefs zoals ze oorspronkelijk bekend stonden. Blijkbaar, terwijl Coralyne door de ruimte zwalkt, stropen zij de naburige werelden af op zoek naar verborgen nederzettingen van de mens. Hun laatste aanval geschiedde lang geleden in de tijd van Kergan Banbeck, met de gevolgen die je kent. Toentertijd passeerde Coralyne ons op korte afstand in de hemelen. Voor het eerst sindsdien bevindt Coralyne zich weer vlak bij ons." Dit,' zei Alvonso tegen Carcolo, 'is wat Joaz Banbeck mij vertelde, en dat is wat ik zag.'

Carcolo was onder de indruk gekomen in weerwil van zichzelf. 'Wil je me vertellen,' vroeg hij Alvonso, 'dat binnen deze bol alle sterren van de ruimte zwemmen?'

'Daar kan ik geen eed op doen,' antwoordde Dae Alvonso. 'De globe is gemonteerd op een zwarte doos, en ik vermoed dat een innerlijk mechanisme afbeeldingen projecteert of misschien lichtende stippen beheerst die de sterren nabootsen. Hoe dan ook, het is een wonderbaarlijk apparaat. Ik zou trots zijn het te bezitten. Ik heb Joaz ettelijke kostbare voorwerpen in ruil geboden, maar hij wilde er niets van weten.'

Carcolo liet zijn lippen walgend omkrullen. 'Jij en je gestolen kinderen. Ken je geen schaamte?'

'Niet meer dan mijn klanten,' zei Alvonso ferm. 'Ik herinner me dat ik bij verscheidene gelegenheden winstgevende zaken met u heb gedaan.'

Ervis Carcolo wendde zich af, deed alsof hij naar een tweetal Hellevegen keek die met houten kromzwaarden oefenden. De twee mannen stonden bij een stenen muur waarachter tientallen draken zich bekwaamden in manoeuvres, duelleerden met speren, zwaarden, hun spieren versterkten. Schubben flitsten, stof wolkte op onder gespleten stampvoeten; de bittere geur van drakenzweet doordrong de lucht.

Carcolo mompelde: 'Hij is sluw, die Joaz. Hij wist dat je me in detail verslag zou uitbrengen.'

Dae Alvonso knikte. 'Precies. Zijn woorden luidden – maar misschien kan ik beter discreet zijn.' Hij blikte listig naar Carcolo vanonder zijn borstelige witte wenkbrauwen.

'Spreek,' zei Carcolo nors.

'Uitstekend. Denk eraan, ik citeer Joaz Banbeck. "Zeg die broddelende ouwe Carcolo dat hij in groot gevaar verkeert. Als de Grondvormen weer op Aerlith komen, wat heel goed mogelijk is, dan is de Gelukkige Vallei uiterst kwetsbaar en zal verwoest worden. Waar kunnen zijn onderdanen zich verschuilen? Ze zullen het zwarte schip in worden gedreven, overgebracht worden naar een koude nieuwe planeet. Als Carcolo niet volslagen harteloos is laat hij nieuwe tunnels bikken, verborgen lanen aanleggen. Anders..."'

'Anders wat?' wilde Carcolo weten.

"'Anders is er geen Gelukkige Vallei meer, geen Ervis Carcolo meer."'

'Bah,' zei Carcolo met onderdrukte stem. 'Jonge kwasten blaffen het schelst.'

'Misschien is het een eerlijke waarschuwing. Zijn verdere woorden... maar ik vrees uw waardigheid te krenken.'

'Ga door! Spreek op!'

'Dit zijn zijn woorden – maar nee, ik durf ze niet te herhalen. Het komt erop neer dat hij uw inspanningen om een leger te vormen lachwekkend vindt; hij vergelijkt uw intelligentie in ongunstige zin met die van hemzelf; hij voorspelt...'

'Genoeg!' brulde Ervis Carcolo, zwaaiend met zijn vuisten. 'Hij is een geraffineerd tegenstander, maar waarom leen jij je voor zijn streken?'

Dae Alvonso schudde zijn grijze oude hoofd. 'Ik herhaal slechts, met tegenzin, hetgeen u eist te horen. En nu, aangezien u mij uitgewrongen heeft, kunt u mij aan winst helpen. Wilt u geneesmiddelen kopen, elixirs, purgeermiddelen of toverdrankjes? Ik heb hier een zalf van de eeuwige jeugd die ik uit de privé-kist van de Demie Sacerdote zelf heb gestolen. In mijn gevolg bevinden zich zowel jongens als meisjes, gedienstig en knap, tegen redelijke prijs. Ik zal naar uw klachten luisteren, uw gelispel genezen, een vreedzaam gemoed garanderen – of misschien wilt u graag drakeëieren kopen?'

'Geen van dat al heb ik nodig,' gromde Carcolo. 'Vooral geen drakeëieren waaruit hagedissen komen. En wat kinderen betreft, de Gelukkige Vallei is vergeven van kinderen. Breng me een dozijn forse Jaggers, dan mag je vertrekken met honderd kinderen van je keuze.'

Alvonso schudde droef het hoofd, strompelde weg. Carcolo ging over de muur hangen en staarde naar de drakenkralen.

De zon stond laag boven de pieken van de berg Despoire; de avond was nabij. Dit was het aangenaamste moment van de dag op Aerlith, als de winden gingen liggen en een immense fluwelen uitgestrektheid achterlieten. Skenes schijnsel verzachtte tot een rokend geel, met een bronzen aureool; de wolken van de nakende avondstorm verzamelden zich, rezen, daalden, verschoven, wervelden, gloeiend en veranderend in iedere tint van goud, oranjebruin, goudbruin en stoffig violet.

Skene zonk; de tinten goud en oranje werden eikebruin en paars; de bliksem reeg de wolken aaneen en de regen viel als een zwart gordijn. In de kazernes waren de mannen op hun hoede, want nu werden de draken onberekenbaar afwisselend actief, traag, twistziek. Met het passeren van de regen ging de avond over in de nacht en een koele, rustige wind zweefde door de dalen. De donkere hemel begon te branden en schitteren met de sterren van de groep. Een van de helderste twinkelde rood, groen, wit, rood, groen.

Ervis Carcolo bestudeerde bedachtzaam deze ster. Het ene idee leidde tot het volgende en weldra naar een koers van handelen die de hele wirwar van onzekerheden en ontevredenheden die zijn leven ontsierde scheen op te lossen. Carcolo wrong zijn mond in een zure grijns; hij moest vriendelijk doen tegen die windbuil Joaz Banbeck – maar als dat onvermijdelijk was – het zij zo!

Vandaar dat de volgende morgen, kort nadat Phade, de minstreelmaagd, de sacerdote had ontdekt in Joaz' studeerkamer, er een boodschapper verscheen in het dal, met een uitnodiging voor Joaz Banbeck om naar de Banbeckzoom te komen voor overleg met Ervis Carcolo.

Vier

Ervis Carcolo wachtte op de Banbeckzoom met opperdrakenmeester Bast Givven en een tweetal jonge voorwerkers. Achter hen, op een rij, stonden hun rijdieren: vier glinsterende Spinnen, armen gevouwen, benen onder exact dezelfde hoek buitenwaarts gekeerd. Dit was Carcolo's nieuwste broedsel, en hij was er buitensporig trots op. De weerhaken die de hoornige gezichten omringden waren gevat in gepolijste vermiljoenen stenen; een ronde doelschijf, zwart geverfd en met een ijzeren piek in het midden bedekte de borst van de dieren. De mannen droegen de traditionele zwarte leren broeken met korte kastanjebruine mantels, en zwarte leren helmen met lange flappen die schuin over de oren en op de schouders hingen.

De vier mannen wachtten, geduldig of rusteloos naar hun aard dicteerde, en namen de goed verzorgde vallei in zich op. In het zuiden lagen akkers met verscheidene gewassen: wikke, bellegarde, moskoeken, een groep mispels. Direct daar tegenover, bij het begin van de Clybournekloof, was nog steeds de vorm van de krater te zien die ontstaan was door de ontploffing van het Grondvormschip. In het noorden lagen nog meer akkers, dan de drakenerven, bestaande uit kazernes van zwarte steen, een fokkerij, een oefenveld. Daarachter lagen de Banbeckkegels, een woest gebied waar eeuwen geleden een deel van de rotswand naar beneden was gekomen, waardoor er een wildernis van schots en scheve keien was ontstaan die leek op de Hoge Kegels onder de Gethronberg, maar kleiner van omvang.

Een van de jonge voorwerkers leverde nogal tactloos commentaar op de overduidelijke welvarendheid van het Banbeckdal, hetgeen een afkeuring inhield van de Gelukkige Vallei. Ervis Carcolo luisterde enkele ogenblikken stuurs toe en richtte toen een hooghartige blik op de boosdoener.

'Zie je die dam,' zei de man. 'Wij verspillen de helft van ons water doordat het weglekt.'

'Dat is zo,' zei de ander. 'Die rotsheining is een goed idee. Ik vraag me af waarom wij niet zoiets doen.'

Carcolo deed zijn mond open, maar bedacht zich. Met een grommend geluid in zijn keel wendde hij zich af. Bast Givven maakte een gebaar: de voorwerkers deden er het zwijgen toe. Even later kondigde Givven aan: 'Joaz Banbeck is op weg gegaan.'

Carcolo tuurde omlaag naar Kergans Weg. 'Waar is zijn gevolg? Rijdt hij alleen?'

'Het schijnt van wel.'

Een paar minuten later verscheen Joaz Banbeck op de zoom, rijdend op een Spin getuigd met grijs en rood fluweel. Joaz droeg een wijde mantel van zachtbruin laken over een grijs hemd en een grijze broek, en verder een pet van blauw fluweel met een lange klep. Hij stak zijn hand op in een terloopse groet; bruusk beantwoordde Carcolo het saluut en stuurde met een ruk van zijn hoofd Givven en de voorwerkers buiten gehoorafstand.

Nors zei hij: 'Je hebt me een boodschap gestuurd via die ouwe Alvonso.'

Joaz knikte. 'Ik hoop dat hij mijn opmerkingen nauwkeurig heeft weergegeven?'

Carcolo grijnsde als een wolf. 'Hier en daar vond hij het nodig te parafraseren.'

'Tactvol van de oude Alvonso.'

'Als ik het goed begrijp,' zei Carcolo, 'vind jij mij doldriest, onbekwaam, onverschillig voor de belangen van de Gelukkige Vallei. Alvonso gaf toe dat jij doelend op mij het woord "broddelaar" hebt gebruikt.'

Joaz glimlachte beleefd. 'Gevoelens van dit soort brengt men het best over via tussenpersonen.'

Carcolo maakte een groot vertoon van waardige verdraagzaamheid. 'Blijkbaar ben je van mening dat er een nieuwe aanval van de Grondvormen op til is.'

'Precies,' beaamde Joaz. 'Als mijn theorie, volgens welke de ster Coralyne hun thuis is, juist is. In welk geval, zoals ik tegenover Alvonso heb opgemerkt, de Gelukkige Vallei kwetsbaar is.'

'En waarom het Banbeckdal dan niet ook?' blafte Carcolo.

Joaz staarde hem verrast aan. 'Is dat niet overduidelijk? Ik heb voorzorgsmaatregelen getroffen. Mijn mensen zijn gehuisvest in tunnels, in plaats van in hutten. Wij hebben diverse vluchtroutes, mochten die nodig blijken, zowel naar de Hoge Kegels als naar de Banbeckkegels.'

'Heel belangwekkend.' Carcolo deed zijn best om zijn stem wellevend te laten klinken. 'Als je theorie accuraat is – en daar vel ik niet voetstoots een oordeel over – dan zou het wellicht verstandig zijn als ik soortgelijke regelingen tref. Maar ik denk in andere termen. Ik geef de voorkeur aan aanvallen, activiteit, boven passieve verdediging.'

'Bewonderenswaardig,' zei Joaz Banbeck. 'Belangrijke daden worden verricht door mensen als jij.'

Carcolo werd lichtelijk roze in het gelaat. 'Daar gaat het nu niet om,' zei hij. 'Ik ben gekomen om een gezamenlijk project voor te stellen. Het is geheel nieuw, maar zorgvuldig uitgedacht. Ik heb verscheidene aspecten van deze kwestie al ettelijke jaren in beraad.'

'Ik luister met grote aandacht,' zei Joaz.

Carcolo blies zijn wangen op. 'Je kent de legenden net zo goed als ik, misschien wel beter. Onze mensen kwamen naar Aerlith als bannelingen tijdens de Oorlog van de Tien Sterren. De Coalitie van de Nachtmerrie had schijnbaar de Oude Heerschappij verslagen, maar hoe de oorlog eindigde –' hij maakte een weids gebaar '– wie weet?'

'Er bestaat een veelzeggende aanwijzing,' zei Joaz. 'De Grondvormen bezoeken Aerlith steeds opnieuw en plunderen naar hun goeddunken. Wij zien nooit mensen, behalve degenen die de Grondvormen dienen.'

'"Mensen"?' zei Carcolo minachtend. 'Ik noem ze iets anders. Maar goed, het is niet meer dan een deductie, en wij weten niet welke loop de geschiedenis heeft genomen. Misschien regeren de Grondvormen de groep, misschien bezoeken zij ons alleen omdat wij zwak en ongewapend zijn. Misschien zijn wij de laatste mensen; misschien heeft de Oude Heerschappij weer de overhand. En vergeet nimmer dat er vele jaren verstreken zijn sinds de Grondvormen voor het laatst op Aerlith verschenen.'

'Er zijn ook vele jaren verstreken sinds Aerlith en Coralyne zo gunstig ten opzichte van elkaar stonden.'

Carcolo maakte een ongeduldig gebaar. 'Een veronderstelling, die al dan niet ter zake doet. Laat mij het uitgangspunt van mijn voorstel uiteenzetten. Het is heel eenvoudig. Ik geloof dat het Banbeckdal en de Gelukkige Vallei te klein zijn voor mensen als wij. Wij verdienen een grotere schaal.'

Joaz beaamde dit. 'Ik wou dat het mogelijk was de praktische moeilijkheden op te lossen die dit in de weg staan.'

'Ik kan een manier opperen om deze moeilijkheden het hoofd te bieden,' beweerde Carcolo.

'In dat geval,' zei Joaz, 'zijn macht, roem en rijkdom zo goed als ons eigendom.'

Carcolo keek hem scherp aan, sloeg met de kwast met gouden kralen van zijn schede op zijn broek. 'Denk hier eens over na,' zei hij. 'De sacerdotes woonden al voor ons op Aerlith. Hoe lang kan niemand zeggen. Het is een mysterie. Wat weten we eigenlijk van ze? Zo goed als niets. Ze ruilen hun metaal en glas voor ons voedsel, ze wonen in diepe grotten, ze belijden afzijdigheid, het mijmeren, onbevangenheid, hoe je het ook noemen wilt – ze zijn volslagen onbegrijpelijk voor iemand als ik.' Hij daagde Joaz met zijn ogen uit; Joaz streek alleen over zijn lange kin. 'Ze laten zichzelf doorgaan voor simpele metafysische cultisten; in werkelijkheid zijn het hoogst geheimzinnige lieden. Heeft iemand ooit een sacerdote-vrouw gezien? Hoe staat het met de blauwe lichten, de bliksemtorens, de magie van de sacerdotes? En met het griezelige komen en gaan bij nachte, met de vreemde gedaanten die door de hemel bewegen, misschien op weg naar andere planeten?'

'Die verhalen bestaan, dat is zeker,' zei Joaz. 'Maar welk geloof eraan gehecht moet worden...'

'Nu komen we aan de kern van mijn voorstel!' verklaarde Carcolo. 'Het geloof van de sacerdotes verbiedt hun blijkbaar schaamte, remmingen, vrees, het letten op gevolgen. Zo zijn ze gedwongen iedere vraag te beantwoorden die hun gesteld wordt. Maar toch, geloof of geen geloof, ze vertroebelen iedere inlichting die een ijverig man met smeken en bidden uit ze weet te krijgen.'

Joaz nam hem nieuwsgierig op. 'Blijkbaar heb je het geprobeerd.'

Ervis Carcolo knikte. 'Ja. Waarom zou ik het ontkennen? Ik heb drie sacerdotes vastberaden en volhardend ondervraagd. Ze hebben al mijn vragen ernstig en na rustig nadenken beantwoord, maar me niets verteld.' Geërgerd schudde hij zijn hoofd. 'Daarom stel ik voor dat we dwang toepassen.'

'Je bent een dapper man.'

Carcolo schudde bescheiden zijn hoofd. 'Ik zou geen rechtstreekse maatregelen durven nemen.

Maar zij moeten eten. Als het Banbeckdal en de Gelukkige Vallei samenwerken, hebben we een krachtig pressiemiddel: honger. Weldra worden hun woorden wellicht meer ter zake.'

Joaz dacht een ogenblik na. Ervis Carcolo speelde met zijn kwast. 'Je plan,' zei Joaz ten slotte, 'is serieus, en vindingrijk. Althans op het eerste gezicht. Wat voor soort inlichtingen hoop je te bemachtigen? Kortom, wat zijn je uiteindelijke oogmerken?'

Carcolo kwam dichterbij, porde met zijn wijsvinger tegen Joaz. 'We weten niets van de andere werelden. We zitten vast op dit ellendige wereldje van steen en wind terwijl het leven aan ons voorbijgaat. Jij neemt aan dat de Grondvormen de sterrenhoop regeren, maar stel dat je je vergist? Stel dat de Oude Heerschappij weer aan de macht is? Denk eens aan de rijke steden, de vrolijke lustoorden, de paleizen, de pleziereilanden! Kijk op naar de nachthemel, peins over de overvloed die ons deel zou kunnen zijn! Jij vraagt hoe wij deze wensen kunnen verwezenlijken? Ik antwoord: het zou heel eenvoudig kunnen zijn dat de sacerdotes de manier zonder enige tegenzin willen onthullen!'

'Je bedoelt...'

'Communicatie met de werelden van de mens! Verlossing van deze eenzame kleine wereld aan de rand van het heelal!'

Joaz Banbeck knikte weifelend. 'Een prachtig visioen, maar het aanwezige bewijs suggereert een gans andere situatie, namelijk de vernietiging van de mens en het menselijk rijk.'

Carcolo stak zijn handen uit in een gebaar van ruimdenkende verdraagzaamheid. 'Misschien heb je gelijk. Maar waarom zouden we geen vragen stellen aan de sacerdotes? Ik stel het volgende voor. Ten eerste stemmen jij en ik in met de gemeenschappelijke zaak die ik heb geschetst. Vervolgens vragen wij een onderhoud aan met de Demie Sacerdote. We stellen hem onze vragen. Als hij vrijelijk antwoordt, des te beter. Ontwijkt hij de vraag, dan handelen we gezamenlijk. Geen voedsel meer voor de sacerdotes tot zij ons duidelijk en openhartig vertellen wat we willen weten.'

'Er bestaan nog andere valleien, dalen, en kloven,' zei Joaz nadenkend.

Carcolo maakte een kordaat gebaar. 'Dergelijke handel kunnen wij verhinderen met overredingskracht of de macht van onze draken.'

'Het wezen van je idee lokt me aan,' zei Joaz, 'maar ik vrees dat het allemaal niet zo eenvoudig is.'

Carcolo roffelde hard met zijn kwast op zijn dij. 'En waarom niet?'

'In de eerste plaats staat Coralyne helder aan de hemel te stralen. Dat is onze eerste zorg. Mocht Coralyne passeren, zonder dat de Grondvormen aanvallen – dan is het tijd om door te gaan op deze kwestie. Nogmaals – en misschien meer ter zake – ik twijfel eraan of wij de sacerdotes aan ons kunnen onderwerpen door ze uit te hongeren. Eigenlijk lijkt het me hoogst onwaarschijnlijk. Ik ga nog verder. Ik acht het onmogelijk.'

Carcolo knipperde met zijn ogen. 'In welk opzicht?'

'Ze lopen naakt door hagel en storm; denk je dat ze de honger vrezen? En ze kunnen wilde mossen verzamelen. Hoe kunnen we ze dat verbieden? Misschien durf jij ze op een of andere manier onder druk te zetten, maar ik niet. De verhalen die over de sacerdotes verteld worden zijn misschien niet meer dan bijgeloof – of ze vormen maar een fractie van de waarheid.'

Ervis Carcolo slaakte een diepe zucht van walging. 'Joaz Banbeck, ik zag je aan voor een besluitvaardig man. Maar je legt alleen maar zout op onvolkomenheden.'

'Dit zijn geen onvolkomenheden, dit zijn fundamentale vergissingen die tot een ramp kunnen leiden.'

'Vooruit dan, heb je zelf een suggestie?'

Joaz bevoelde zijn kin. 'Als Coralyne wegzweeft en we zijn nog op Aerlith – en niet in het ruim van een Grondvormschip – laten we dan plannen maken om de geheimen van de sacerdotes te plunderen. Ondertussen raad ik je ten sterkste aan dat je de Gelukkige Vallei voorbereidt op een nieuwe overval. Je vormt een te groot doelwit, met je nieuwe fokkerijen en kazernes. Laat ze rusten, terwijl je veilige tunnels graaft!'

Carcolo staarde dwars over het dal. 'Ik ben niet een man die verdedigt. Ik val aan!'

'Val je hittestralen en ionbundels aan met je draken?'

Carcolo richtte zijn blik weer op Joaz. 'Kan ik ons beschouwen als bondgenoten in het plan dat ik heb voorgesteld?'

'In de ruimste zin: zeker. Maar ik voel er niets voor mee te werken aan het uithongeren of anderszins onder druk zetten van de sacerdotes. Het zou gevaarlijk kunnen zijn, en bovendien zinloos.'

Een ogenblik wist Carcolo zijn weerzin voor Joaz Banbeck niet te beheersen; zijn lippen krulden, zijn handen werden klauwen. 'Gevaar! Bah! Wat voor gevaar kunnen een handvol naakte pacifisten opleveren?'

'We weten niet of ze pacifist zijn. We weten wel dat het mensen zijn.'

Carcolo werd opnieuw stralend hartelijk. 'Misschien heb je gelijk. Maar – in de grond althans – zijn we bondgenoten.'

'In zekere mate.'

'Goed. Ik stel voor dat ingeval van de invasie die jij vreest, wij samen optreden, met een gemeenschappelijke strategie.'

Joaz knikte koel. 'Dat zou doeltreffend kunnen zijn.'

'Laten wij onze plannen op elkaar afstemmen. Laten we aannemen dat de Grondvormen neerkomen in het Banbeckdal. Ik stel voor dat jouw mensen de wijk nemen naar de Gelukkige Vallei, terwijl mijn leger samen met het jouwe hun aftocht dekt. En omgekeerd, mochten ze de Gelukkige Vallei aanvallen, dan zoeken mijn mensen hun toevlucht in het Banbeckdal.'

Joaz lachte van louter vermaak. 'Ervis Carcolo, wat voor waanzinnige denk je dat ik ben? Ga terug naar je vallei, zet je dwaze ambities van je af, sla aan het graven. En snel! Coralyne straalt fel!'

Carcolo stond er stijf bij. 'Moet ik opmaken dat je mijn aanbod van een bondgenootschap afwijst?'

'In het geheel niet. Maar ik kan de bescherming voor jou en je mensen niet op me nemen als je jezelf niet wilt helpen. Voldoe aan mijn eisen, overtuig me ervan dat je een geschikte bondgenoot bent – dan zullen we opnieuw spreken.'

Ervis Carcolo draaide zich op zijn hielen om, gebaarde naar Bast Givven en de twee jonge voorwerkers. Zonder nog een woord of blik besteeg hij zijn schitterende Spin, spoorde hem aan tot een plotselinge ren over de zoom en de helling op naar de Breekstervlakte. Zijn mannen volgden hem minder overhaast.

Joaz zag ze vertrekken, droef verwonderd zijn hoofd schuddend. Toen klom hij op zijn eigen Spin en volgde het spoor terug naar de bodem van zijn dal.

Vijf

De lange dag van Aerlith, overeenkomend met zes van de oude etmalen, verstreek. In de Gelukkige Vallei heerste grimmige bedrijvigheid, een sfeer van doelbewustheid en nakende beslissingen. De draken exerceerden in strakkere formaties, de voorwerkers en kornetten riepen bevelen met ruwere stemmen. In de wapensmidse werden kogels gegoten, kruit gemengd, zwaarden geschuurd en geslepen.

Ervis Carcolo beulde zich af met dramatisch vertoon van moed, de ene Spin na de andere uitputtend terwijl hij zijn draken door diverse manoeuvres leidde. De strijdmacht van de Gelukkige Vallei bestond voornamelijk uit Hellevegen – kleine actieve draken met roestrode schubben, smalle flitsende koppen, beitelscherpe slagtanden. Hun armen waren sterk en goed ontwikkeld; ze gebruikten lans, hartsvanger en goedendag allemaal even behendig. Een man die tegen een Helleveeg in de strijd werd geworpen had geen schijn van kans, want de schubben weerden iedere kogel even goed af als iedere slag die de sterkste man hem kon toebrengen. Daartegenover stond dat een enkele haal van een slagtand, of het rijten van een zeis-gelijke klauw, de dood van de man betekende.

De Hellevegen waren vruchtbaar en taai en gedijden zelfs onder de omstandigheden van de fokkerijen in de Gelukkige Vallei; vandaar hun grote aandeel in Carcolo's strijdmacht. Dit was een situatie die Bast Givven, de opperdrakenmeester niet aanstond. Hij was een pezige man, mager en met een plat, kromneuzig gezicht, met ogen zo zwart en uitdrukkingloos als druppels inkt op een bord. Uit gewoonte kortaf en zwijgzaam werd hij bijna welsprekend toen hij in opstand kwam tegen de voorgenomen aanval op het Banbeckdal. 'Kijk toch, Ervis Carcolo, wij kunnen ons verweren tegen een horde Hellevegen, met voldoende Schrijdende en Langhoornige Moordenaars. Maar Blauwe Gruwels, Duivels en Jaggers – nee! We zijn verloren als ze ons in de val laten lopen op de steenvlakten!'

'Ik ben niet van plan op de steenvlakten te vechten,' zei Carcolo. 'Ik zal Joaz Banbeck het gevecht opdringen. Zijn Jaggers en Duivels zijn nutteloos op de kliffen. En wat Blauwe Gruwels aangaat zijn we bijna zijn gelijke.'

'U ziet een enkele moeilijkheid over het hoofd,' zei Bast Givven.

'En die is?'

'De onwaarschijnlijkheid dat Joaz Banbeck dit allemaal zal toestaan. Ik schrijf hem meer verstand toe!'

'Lever mij daar het bewijs van!' stoof Carcolo op. 'Wat ik van hem merk is wankelmoedigheid en stomheid! Dus slaan wij toe – hard!' Carcolo smakte zijn vuist tegen zijn handpalm. 'Zo maken wij een eind aan de hooghartige Banbecks!'

Bast Givven draaide zich om en wilde weggaan;

Carcolo riep hem toornig terug. 'Je toont geen enthousiasme voor deze veldtocht!'

'Ik weet wat ons leger kan doen en wat niet,' zei Givven bot. 'Als Joaz Banbeck de man is die u denkt, dan zouden we kunnen slagen. Als hij ook alleen maar de wijsheid heeft van een paar staljongens waar ik tien minuten geleden naar luisterde, dan staat ons een ramp te wachten.'

Met een stem die dik was van woede zei Carcolo: 'Ga terug naar je Duivels en Jaggers. Ik wil dat ze even snel worden als Hellevegen.'

Bast Givven verdween. Carcolo sprong op een Spin die in de buurt stond, schopte hem met zijn hielen. Het beest sprong naar voren, bleef abrupt staan, draaide zijn lange nek om om Carcolo in zijn gezicht te kijken. Carcolo riep: 'Hast! Hast! Voorwaarts mars, snel nu! Laat die kinkels zien wat geestdriftige snelheid is!' De Spin sprong zo heftig voorwaarts dat Carcolo achterover van zijn rug tuimelde, op zijn nek landend, waarna hij kreunend bleef liggen. Staljongens kwamen aanrennen, hielpen hem op een bank waar hij aan een stuk door met lage stem zat te vloeken. Een chirurgijn onderzocht hem, porde en prikte hem, en raadde Carcolo aan naar zijn bed te gaan en diende hem een slaapdrank toe. Carcolo werd naar zijn vertrekken onder de westmuur van de Gelukkige Vallei gedragen, onder de hoede van zijn vrouwen geplaatst en hij sliep een etmaal lang. Toen hij wakker werd was de dag half voorbij. Hij wilde opstaan, maar merkte dat hij te stijf was om zich te bewegen en bleef kreunend liggen. Weldra riep hij Bast Givven, die kwam en zonder commentaar naar Carcolo's bezweringen luisterde. De avond kwam; de draken gingen terug naar de kazernes; er zat nu niets anders op dan wachten tot het aanbreken van de dag.

Tijdens de lange nacht onderging Carcolo een reeks van behandelingen: massages, hete baden, infusies en compressen. Hij oefende zich ijverig, en toen de nacht aan zijn eind kwam verklaarde hij zichzelf gezond. Hoog aan de hemel trilde de ster Coralyne met giftige kleuren: rood, groen, wit, verreweg de helderste ster van de groep. Carcolo weigerde ernaar te kijken, maar het licht trof hem in zijn ooghoeken, iedere keer als hij over de bodem van de vallei liep.

De dageraad naderde. Carcolo was van plan op mars te gaan op het allereerste moment dat de draken handelbaar werden. Een flakkerend licht in het oosten duidde op de opstekende ochtendstorm, nog onzichtbaar achter de horizon. Heel behoedzaam werden de draken uit hun verblijven gehaald en in een marskolonne opgesteld. Er waren bijna driehonderd Hellevegen, vijfentachtig Schrijdende Moordenaars, evenveel Langhoornige Moordenaars, honderd Blauwe Gruwels, tweeënvijftig plompe, ongelooflijk sterke Duivels, hun staartpunten uitgerust met stekelige stalen ballen, en achttien Jaggers. Ze gromden en mopperden boosaardig tegen elkaar, wachtend op een kans om elkaar te schoppen of een been af te happen van een onoplettende staljongen. De duisternis prikkelde hun latente haat tegen de mensheid hoewel ze niets was onderwezen over hun afkomst noch over de omstandigheden waaronder ze geknecht waren.

De ochtendbliksem laaide knetterend op, tekende de verticale spitsen af, de verbazingwekkende pieken van de Malheurbergen. In de lucht passeerde de storm met jammerende windvlagen en ranselende regenbanken en schoof op naar het Banbeckdal. Het oosten gloeide met een grijsgroen bleek schijnsel en Carcolo gaf het sein om op mars te gaan. Nog steeds stijf en pijnlijk hobbelde hij naar zijn Spin, klom erop en gaf het wezen bevel tot een speciale en dramatische korte boogsprong. Carcolo had zich misrekend: de boosaardigheid van de nacht beheerste nog de geest van de draak. Hij beëindigde de sprong met een uithaal van zijn nek die Carcolo eens te meer tegen de grond smakte, waar hij half gek van pijn en woede bleef liggen.

Hij probeerde op te staan, wat niet gelukte; hij probeerde het weer en viel flauw. Vijf minuten lang lag hij bewusteloos, toen scheen hij zichzelf met pure wilskracht te wekken. 'Til me op,' fluisterde hij hees. 'Bind me in het zadel. We moeten op weg gaan.' Aangezien dit duidelijk onuitvoerbaar was stak niemand een hand uit. Carcolo tierde, riep eindelijk schor om Bast Givven. 'Ga op weg;

we kunnen nu niet stoppen. Jij moet de troepen aanvoeren.'

Givven knikte triest. Dit was een eer waar hij best buiten kon.

'Je kent het gevechtsplan,' hoestte Carcolo. 'Cirkel noordelijk rond de Tand, steek de Skanse zo snel mogelijk over, zwenk naar het noorden rond de Blauwe Kloof, daarna zuidelijk langs de Banbeckzoom. Daar kun je verwachten dat Joaz Banbeck je ontdekt, en je moet je troepen zo deployeren dat wanneer hij zijn Jaggers inzet, jij ze kunt afslaan met Duivels. Zorg ervoor dat onze Jaggers niet hoeven te worden gebruikt, val hem lastig met Hellevegen, reserveer de Moordenaars om toe te slaan waar hij de rand bereikt. Begrijp je me?'

'Zoals u het uitlegt staat de overwinning vast,' mompelde Bast Givven.

'En dat is het geval, tenzij jij hopeloos prutswerk levert. O, mijn rug! Ik kan me niet bewegen. Terwijl het grootse gevecht woedt, moet ik bij de fokkerij zitten en kijken naar het uitkomen van de eieren! Ga nu! Lever een harde slag voor de Gelukkige Vallei!'

Givven gaf een bevel; de troepen kwamen in beweging. Hellevegen schoten naar de voorhoede, gevolgd door glanzende Schrijdende Moordenaars en de zwaardere Langhoornige Moordenaars waarvan de fantastische borstpieken van stalen punten waren voorzien. Daarachter kwamen de logge Jaggers, grommend, gorgelend, tandenknarsend op het ritme van hun stappen. De Jaggers werden geflankeerd door de Duivels, die zware hartsvangers droegen en met hun stalen staartballen zwaaiden als een schorpioen met zijn stekel; daarna, in de achterhoede, kwamen de Blauwe Gruwels, die zowel massief als lenig waren, goed konden klimmen en niet minder intelligent waren dan de Hellevegen. In de flanken reden honderd mannen, drakenruiters, ridders, voorwerkers en kornetten. Ze waren gewapend met zwaarden, pistolen, en donderbussen van groot kaliber.

Carcolo, op een draagbaar liggend, keek ze na tot de achterhoede van zijn leger uit het gezicht verdwenen was, gaf toen bevel dat hij naar de poort werd gedragen die toegang gaf tot de grotten van de Gelukkige Vallei. Nooit eerder hadden de grotten zo armzalig en ondiep geleken. Met een zuur gezicht keek hij naar de wrakke rij hutten onderaan de klif, gebouwd van keien, platen met hars geïmpregneerd mos, met teer geplakt riet. Als de veldtocht tegen Banbeck was afgelopen zou hij beginnen met nieuwe kamers en zalen in de rotswand te laten uithakken. De schitterende versieringen van het dorp Banbeck waren heel bekend; de Gelukkige Vallei zou nog veel schitterender worden. De zalen zouden gloeien van opaal en parelmoer, zilver en goud. En toch, met welk doel? Als de gebeurtenissen verliepen zoals bedoeld, dan stond hem zijn grandioze droom te wachten. En dan, wat maakten een paar zielige versierselen in de tunnels van de Gelukkige Vallei dan nog uit?

Kreunend liet hij zich op zijn bank leggen en vermaakte zich met in gedachten de vorderingen van zijn troepen volgen. Nu moesten ze bezig zijn aan de afdaling van de Bengelrichel, rond de mijl hoge Tand cirkelen. Proberend strekte hij zijn armen uit, bewoog zijn benen. Zijn spieren protesteerden, pijn schoot heen en weer door zijn lichaam – maar zijn verwondingen leken al minder ernstig dan eerst. Nu zou het leger de wallen beklimmen die de brede hoogvlakte omringden die bekend stond als de Skanse. De chirurgijn bracht Carcolo een drankje; hij dronk en sliep in, en werd met een schok wakker. Hoe laat was het? Zijn troepen waren misschien al in gevecht gewikkeld! Hij gaf bevel dat hij naar de ingang gedragen moest worden; toen, nog niet tevreden, commandeerde hij zijn bedienden dat ze hem door het dal naar de nieuwe drakenfokkerij moesten brengen, waarvan de transen uitzicht boden over het hele dal. Ondanks de protesten van zijn vrouwen werd hij daarheen vervoerd en zo gerieflijk mogelijk geïnstalleerd als zijn buildn en kneuzingen toestonden.

Hij bereidde zich voor op een periode van wachten, maar het duurde niet lang voor er nieuws kwam.

Over het noordpad kwam een kornet op een van schuim druipende Spin. Carcolo stuurde een staljongen om hem te onderscheppen en zonder zich

te storen aan zijn pijn richtte hij zich op. De kornet
wierp zich van zijn rijdier, strompelde de trap op,
zakte uitgeput ineen tegen de balustrade.

'Hinderlaag!' hijgde hij. 'Bloedige ramp!'

'Een hinderlaag?' kreunde Carcolo met holle
stem. 'Waar?'

'Toen we tegen de wallen van de Skanse op-
klommen. We wachtten tot onze Hellevegen en
Moordenaars boven waren, en toen vielen ze aan
met Gruwels, Duivels en Jaggers. Ze hakten ons
aan stukken, dreven ons terug, rolden toen keien
op onze Jaggers! Ons leger is vernietigd!'

Carcolo zonk achterover op zijn draagbaar, lag
naar de hemel te kijken. 'Hoeveel hebben we verloren?'

'Ik weet het niet. Givven blies de aftocht; we
trokken ons zo goed mogelijk terug.'

Carcolo lag erbij alsof hij in coma was, en de
kornet wierp zich neer op een bank.

In het noorden verscheen een stofzuil die zich
even later onderscheidde in een aantal draken van
de Gelukkige Vallei. Alle waren gewond; ze marcheerden, hinkten, liepen mank, sleepten met hun
poten, onregelmatig kwakend, woedend kijkend,
fluitend. Eerst kwam er een groep Hellevegen, die
hun lelijke koppen van links naar rechts lieten
schieten; daarna twee Blauwe Gruwels, met armen
die kronkelden en draaiden bijna als mensenar-
men; daarna een Jagger, massief als een pad, poten
uiteen van vermoeidheid. Vlak voor de kazernes

viel hij om, kwam met een doffe klap neer, lag stil, met poten en klauwen naar de lucht priemend.

Over het noordpad kwam Bast Givven aangereden, onder het stof en met holle wangen. Hij stapte van zijn ingezakte Spin af, kwam naar boven. Met krakende inspanning richtte Carcolo zich nogmaals op.

Givven bracht verslag uit met een stem die zo effen en licht was dat hij onverschillig leek, maar zelfs de ongevoelige Carcolo werd er niet door misleid. Verbaasd vroeg hij: 'Waar precies vond die hinderlaag plaats?'

'We klommen tegen de wallen op via het Chlorisravijn. Waar de Skanse in het ravijn overgaat steekt een porfieren rotspunt omhoog. Daar wachtten ze ons op.'

Carcolo siste tussen zijn tanden door. 'Verbazingwekkend.'

Bast Givven knikte bijna onmerkbaar.

Carcolo zei: 'Stel dat Joaz Banbeck op weg ging tijdens de ochtendstorm, een uur eerder dan ik mogelijk acht; stel dat hij zijn troepen tot een ren forceerde. Hoe heeft hij de wallen dan voor ons kunnen bereiken?'

'Zoals ik het zag,' zei Givven, 'was er geen gevaar voor een hinderlaag tot we de Skanse hadden overgestoken. Ik was van plan de Barchrug te laten patrouilleren, helemaal tot aan de Blauwe Vlakte, en tot aan de Blauwe Kloof.'

Carcolo stemde hier somber mee in. 'Hoe heeft

Joaz Banbeck zijn troepen dan zo snel naar de wallen weten te brengen?'

Givven draaide zich om, keek door het dal waar nog steeds gewonde draken en mannen kreupel binnenkwamen van het noordpad. 'Ik heb geen idee.'

'Een medicijn?' peinsde Carcolo. 'Een drankje om de draken rustig te houden? Kan hij de hele nacht lang op de Skanse gebivakkeerd hebben?'

'Dit laatste is mogelijk,' erkende Givven met tegenzin. 'Onder de Barchspits zijn lege grotten. Als hij zijn troepen daar gedurende de nacht heeft ingekwartierd, dan hoefde hij alleen maar over de Skanse te marcheren om ons te overvallen.'

Carcolo gromde. 'Misschien hebben we Joaz Banbeck onderschat.' Kreunend liet hij zich achterover zakken. 'Welaan, wat zijn onze verliezen?'

Het verslag was treurig nieuws. Van het al ontoereikende aantal Jaggers waren er nog maar zes over. Van de tweeënvijftig Duivels leefden er nog veertig en daarvan waren er vijf ernstig gewond. De Hellevegen, Blauwe Gruwels en Moordenaars hadden zwaar geleden. Een groot aantal was aan stukken gereten tijdens het eerste treffen, vele andere waren van de wallen gestort en verstrooiden hun gepantserde omhulsels tussen het steenpuin. Van de honderd mannen waren er twaalf gedood door kogels, nog eens veertien door draken; twintig anderen waren in verschillende mate gewond.

Carcolo lag met gesloten ogen op zijn draagbaar. Zijn mond bewoog zwak.

'Alleen het terrein redde ons,' zei Givven. 'Joaz Banbeck weigerde zijn troepen in te zetten in het ravijn. Als er sprake is van tactische fouten, dan aan zijn kant. Hij had te weinig Hellevegen en Blauwe Gruwels meegebracht.'

'Een kleine troost,' grauwde Carcolo. 'Waar is de rest van het leger?'

'We hebben goede posities op de Bengelrichel. We hebben geen enkele verkenner van Banbeck gezien, geen mannen en geen Hellevegen, en het is denkbaar dat hij gelooft dat we terug zijn gegaan naar de vallei. In ieder geval was zijn hoofdmacht nog steeds verzameld op de Skanse.'

Met enorme inspanning stond Carcolo op. Hij wankelde over de loopgang, keek neer in de verzorgingsruimte. Vijf Duivels hurkten in vaten met balsem, mopperend en zuchtend. Een Blauwe Gruwel hing in een takel, jammerend terwijl de chirurgijnen brokken pantsering uit zijn grijze vlees sneden. Terwijl Carcolo toekeek verhief een van de Duivels zich hoog op zijn voorpoten terwijl er schuim uit zijn kieuwen gutste. Hij gaf een schreeuw op een eigenaardig schrijnende toon, viel toen dood terug in de balsem.

Carcolo richtte zich weer tot Givven. 'Dit moet je doen. Joaz Banbeck heeft vast en zeker patrouilles uitgestuurd. Trek terug langs de Bengelrichel, geef je dan helemaal bloot en ga een van de passen van Despoire in – de Toermalijnpas is goed. Zo redeneer ik. Banbeck zal veronderstellen dat je je terugtrekt in de Gelukkige Vallei, hij zal zich zuidelijk achter de Tand reppen om je aan te vallen als je van de Bengelrichel afkomt. Als hij onder de Toermalijnpas doorkomt, ben jij in het voordeel en kun je Banbeck best met al zijn troepen vernietigen.'

Bast Givven schudde vastberaden zijn hoofd. 'En wat gebeurt er als zijn patrouilles ons ondanks alle voorzorgen opsporen? Hij hoeft alleen maar onze sporen te volgen om ons op te sluiten in de Toermalijnpas, zonder vluchtweg behalve over Despoire of over Breekster. En als we ons op Breekster wagen zullen zijn Jaggers ons in een paar minuten afslachten.'

Ervis Carcolo zakte weer op zijn draagbaar. 'Breng de troepen terug naar de Gelukkige Vallei. We wachten op een andere gelegenheid.'

Zes

Uitgehakt in de klif ten zuiden van de piek die Joaz' verblijven herbergde was een grote kamer die bekend stond als Kergans Zaal. De proporties van dit vertrek, de eenvoud en het ontbreken van versieringen, het massieve antieke meubilair droegen bij aan de indruk van een talmende persoonlijkheid en aan de unieke geur van de kamer. Deze geur werd uitgewasemd door de naakte stenen wanden, het parket van versteend mos, oud hout – een ruwe, rijpe geur die Joaz altijd had verfoeid, net als alle andere aspecten van de zaal. De afmetingen ervan leken arrogant groot, het gebrek aan versiering scheen hem primitief, zo niet grof. Op een dag daagde het hem dat het niet de kamer was die hij verafschuwde maar Kergan Banbeck zelf, samen met de hele rataplan van opgeblazen legenden die de man omringde.

Niettemin was het in veel opzichten een aangenaam vertrek. Drie hoge ramen onder kruisgewelven keken uit op het dal. De vensters bestonden uit kleine vierkante ruiten van blauwgroen glas in latten van zwart ijzerhout. Het plafond was eveneens betimmerd met hout en hier was een zekere mate van typische Banbeck-complexiteit veroorloofd. Er waren namaak pilasterkapitelen met gargouillekoppen, een fries besneden met traditionele varenbladen. Het meubilair bestond uit drie stukken – twee hoge bewerkte stoelen en een massieve tafel, allemaal van gewreven donker hout, allemaal immens oud.

Joaz had een nuttig gebruik voor de kamer gevonden. De tafel droeg een zorgvuldig gedetailleerde reliëfkaart van het district, met een schaal van 1 op 20.000. In het midden lag het Banbeckdal, aan de rechterkant de Gelukkige Vallei, gescheiden door een warboel van pieken en spleten, kliffen, spitsen, wanden en vijf titanenpieken: de Gethronberg in het zuiden, Despoire in het midden, de Barchspits, de Tand en de Halcyonberg in het noorden.

Voor Gethron lagen de Hoge Kegels, daarna strekte Breeksterveld zich uit tot Despoire en de Barchspits. Achter Despoire, tussen de wallen van de Skanse en de Barchrug, reikte de Skanse helemaal tot aan de gekwelde bazaltravijnen en rotswanden aan de voet van Halcyon.

Terwijl Joaz de kaart stond te bestuderen kwam Phade de kamer in, ondeugend stil. Maar Joaz bespeurde haar nabijheid door de geur van wierook, waarin ze zich had ondergedompeld alvorens ze Joaz opzocht. Ze droeg het traditionele vakantiekostuum van de meisjes van Banbeck – een nauwsluitende schede van drakedarmen, met moffen van bruin bont bij de hals, de ellebogen en de knieën. Een hoge cilindrische hoed, gekarteld aan de bovenrand, prijkte op haar weelderige bruine krullen en hier bovenop rees een rode pluim op.

Joaz deed alsof hij zich niet bewust was van haar aanwezigheid; ze kwam achter hem staan en kietelde zijn nek met het bont aan haar hals. Joaz veinsde onaandoenlijke onverschilligheid; in het geheel niet misleid zette Phade een smartelijk bezorgd gezicht. 'Moeten wij allen gedood worden? Hoe staat het met de oorlog?'

'Voor het Banbeckdal gaat de oorlog goed. Voor de arme Ervis Carcolo en de Gelukkige Vallei gaat hij behoorlijk slecht.'

'Je maakt plannen voor zijn vernietiging,' intoneerde Phade met een gedempte, beschuldigende stem. 'Je zult hem doden! Arme Ervis Carcolo!'

'Hij verdient niet beter.'

'Maar wat gebeurt er met de Gelukkige Vallei?'

Joaz Banbeck haalde zijn schouders op. 'Die verandert ten goede.'

'Zul je de heerschappij overnemen?'

'Ik niet!'

'Denk je eens in!' fluisterde Phade. 'Joaz Banbeck, tiran van het Banbeckdal, de Gelukkige Vallei, de Fosforkloof, Glore, het Bergmeer, Clewhaven en de Grote Noordkloof.'

'Ik niet,' zei Joaz. 'Misschien wil jij in mijn plaats regeren?'

'O! Zeker wel! Wat een veranderingen zou ik niet invoeren! Ik zou de sacerdotes aankleden in rode en gele linten. Ik zou ze bevel geven te zingen en te dansen en meiwijn te drinken; de draken zou ik naar Arcadië in het zuiden sturen, op een paar zachtzinnige Hellevegen na om als meisje voor de kinderen op te treden. En geen van die woedende gevechten meer. Ik zou de harnassen verbranden en de zwaarden breken, ik zou...'

'Mijn lieve kleine fladderkever,' zei Joaz lachend. 'Wat een korte regering zou je hebben!'

'Waarom? Waarom niet eeuwig? Als de mannen geen middelen hadden om te vechten...'

'En als de Grondvormen landen, zou je dan bloemenslingers om hun nek hangen?'

'Pah. Die zien we nooit meer. Wat hebben ze eraan om een paar afgelegen dalen lastig te vallen?'

'Wie weet wat ze eraan hebben? Wij zijn vrije

mensen – misschien de laatste vrije mensen in het heelal. Wie weet? En of ze terugkomen? Coralyne schittert fel aan de hemel!'

Phade vatte opeens belangstelling op voor de reliëfkaart. 'En deze oorlog van je – verschrikkelijk! Val je aan, verdedig je?'

'Dat hangt van Ervis Carcolo af. Ik hoef alleen maar te wachten tot hij zich blootgeeft.' Neerkijkend op de kaart voegde hij er bedachtzaam aan toe: 'Hij is slim genoeg om mij te schaden, tenzij ik mij behoedzaam beweeg.'

'En als de Grondvormen komen terwijl jij met Carcolo kibbelt?'

Joaz glimlachte. 'Dan vluchten we allemaal naar de Kegels. En misschien vechten we allemaal.'

'Dan vecht ik naast je,' verklaarde Phade terwijl ze een dappere houding aannam. 'We zullen het grote Grondvormruimteschip aanvallen, de hittestralen trotseren, de energiebliksems afslaan. We stormen helemaal tot aan de ingang en we trekken de neus van de eerste overvaller af die zich laat zien!'

'Op één punt slechts schiet jouw wijze strategie te kort,' zei Joaz. 'Waar vindt men de neus aan een Grondvorm?'

'In dat geval,' zei Phade, 'grijpen we hun...' Ze draaide haar hoofd bij een geluid in de hal. Joaz beende door de zaal, wierp de deur open. De oude Rife, de portier, scharrelde naar binnen. 'U heeft me bevolen u te roepen wanneer de fles omviel

dan wel brak. Nou, dat is allebei gebeurd, en on-
herstelbaar, nog geen vijf minuten geleden.'

Joaz drong langs Rife en rende de gang af. 'Wat
betekent dit?' wilde Phade weten. 'Rife, waarom is
hij zo verstoord?'

Rife schudde gemelijk zijn hoofd. 'Ik sta even
verbijsterd als jij. Hij wijst mij een fles aan. "Houd
deze fles dag en nacht in de gaten." Zo wordt mij
bevolen. En ook: "Als de fles breekt of valt, roep me
dan ogenblikkelijk." Ik zeg bij mezelf dat dit alle
schijn heeft van een sinecure. En ik vraag mij af:
acht Joaz mij zo seniel dat hij denkt dat ik tevreden
ben met zulk namaakwerk als het in de gaten houden van een fles? Ik ben oud, mijn kaken trillen,
maar ik ben niet van mijn verstand beroofd. Tot
mijn verrassing breekt de fles! Het waarom is heel
alledaags, dat geef ik toe: hij viel op de vloer. Niettemin, zonder te weten wat het allemaal betekent,
gehoorzaam ik mijn bevelen en dus heb ik Joaz
Banbeck in kennis gesteld van het gebeurde.'

Phade had ongeduldig staan wachten. 'Waar is
die fles dan wel?'

'In de studio van Joaz Banbeck.'

Phade ging er zo snel vandoor als de strakke
schede om haar heupen toestond. Ze holde door
een dwarstunnel, via een overdekte brug over Kergans Weg, daarna een helling op naar de vertrekken van Joaz.

Door de lange gang rende Phade, door de voorkamer waar een verbrijzelde fles op de vloer lag, de

studio in, waar ze verwonderd bleef staan. Er was niemand te zien. Ze zag een reeks planken die een hoek met de muur maakten. Stil, schuchter, gleed ze de kamer door, tuurde omlaag in de werkplaats.

Daar zag ze een vreemd tafereel. Joaz stond er achteloos bij, koel glimlachend, terwijl aan de andere kant van de kamer een naakte sacerdote ernstige pogingen in het werk stelde om beweging te krijgen in een barrière die opgesprongen was langs een deel van de muur. Maar de heining was slim gesloten en de pogingen van de sacerdote waren vergeefs. Hij draaide zich om, blikte even naar Joaz, begon toen naar de deur van de studio te lopen.

Phade zoog haar adem in, deinsde achteruit.

De sacerdote kwam de studio in, liep naar de deur.

'Wacht even,' zei Joaz. 'Ik wil je spreken.'

De sacerdote bleef staan, draaide zijn hoofd vragend om. Hij was jong, zijn gezicht was nietszeggend, leeg, bijna mooi. Een fijne, doorschijnende huid bedekte strak zijn bleke botten; zijn ogen, groot, blauw en onschuldig, schenen te staren zonder zich scherp te stellen. Zijn gestel was teer, hij was niet overvloedig met vlees bedeeld; zijn handen waren mager en zijn vingers trilden door een of ander soort onevenwichtigheid van zijn zenuwen. Op zijn rug, bijna tot aan zijn middel, hingen de manen van zijn lange lichtbruine haar.

Joaz ging nadrukkelijk zitten, zonder zijn ogen van de sacerdote af te nemen. Even later sprak hij met onheilspellende stem: 'Ik vind je gedrag verre van innemend.' Deze mededeling vereiste geen reactie en dus zei de sacerdote niets.

Was het Phades verbeelding? Of flitste er een vonk van wild vermaak in de ogen van de sacerdote die bijna meteen weer stierf? Maar weer reageerde hij niet. Joaz paste zich aan bij de eigenaardige regels volgens welke de communicatie met sacerdotes diende te geschieden en vroeg: 'Wil je soms gaan zitten?'

'Dat is onverschillig,' zei de sacerdote. 'Aangezien ik nu sta, zal ik blijven staan.'

Joaz kwam overeind en pleegde een daad zonder weerga. Hij schoof de bank achter de sacerdote, gaf een slag tegen de knieholten, duwde de sacerdote met ferme hand neer op de bank. 'Aangezien je nu zit,' zei Joaz, 'kun je net zo goed blijven zitten.'

Zachtmoedig doch waardig ging de sacerdote staan. 'Ik zal staan.'

Joaz haalde zijn schouders op. 'Zoals je wilt. Ik ben van plan je een paar vragen te stellen. Ik hoop dat je wilt meewerken en accuraat antwoorden.'

De sacerdote knipperde met zijn ogen als een uil.

'Wil je dat doen?'

'Zeker. Ik ga echter liever terug zoals ik gekomen ben.'

Joaz negeerde deze opmerking. 'Ten eerste, waarom kom je in mijn studeerkamer?'

De sacerdote sprak zorgvuldig, op de toon van

iemand die tegen een kind praat. 'Je taal is vaag; ik raak verward en mag niet antwoorden, aangezien ik gezworen heb alleen de waarheid te spreken tegen ieder die de waarheid nodig heeft.'

Joaz installeerde zich weer in zijn stoel. 'We hebben geen haast. Ik ben gereed voor een lange discussie. Laat me je dan vragen – had je impulsen die je me kunt uitleggen, die je overhaalden of dwongen naar mijn studio te komen?'

'Ja.'

'Hoeveel van die impulsen heb je herkend?'

'Ik weet het niet.'

'Meer dan één?'

'Misschien.'

'Minder dan tien?'

'Ik weet het niet.'

'Hmm... Waarom ben je onzeker?'

'Ik ben niet onzeker.'

'Waarom kun je dan niet het aantal opgeven dat ik je vroeg?'

'Zo'n aantal bestaat niet.'

'Ik begrijp het. Je bedoelt mogelijk dat er verscheidene elementen van een enkele drijfveer bestaan die je hersens aanspoorden signalen naar je spieren te sturen opdat ze je hierheen konden voeren?'

'Mogelijk.'

Joaz' dunne lippen vertrokken tot een flauwe triomfantelijke glimlach. 'Kun je een element van deze drijfveer beschrijven?'

'Ja.'

'Doe dat dan.'

Dat was een bevel, waartegen de sacerdote bestand was. Iedere vorm van dwang die Joaz kende – vuur, het zwaard, dorst, verminking – betekende voor een sacerdote niet meer dan nietig ongemak; hij negeerde het alsof het niet bestond. Zijn persoonlijke innerlijke wereld was de enige werkelijke wereld; zowel handelen als reageren op de activiteiten van Volslagen Mensen vernederde hem, absolute lijdelijkheid, absolute openhartigheid waren zijn noodzakelijke handelwijzen. Hier iets van wetend kleedde Joaz zijn bevel anders in. 'Kun je een element bedenken van de drijfveer die je bewoog om hierheen te komen?'

'Ja.'

'Welk element is dat?'

'Een verlangen om rond te dolen.'

'Kun je er nog één bedenken?'

'Ja.'

'Welk is dat?'

'Een verlangen om lichaamsbeweging te krijgen door te lopen.'

'Aha. Tussen haakjes, kan het zijn dat je mijn vragen probeert te ontwijken?'

'Ik beantwoord de vragen die je me stelt. Zolang ik dat doe, zolang ik mijn geest openstel voor allen die kennis zoeken want – dat is ons geloof – kan er geen sprake zijn van ontwijken.'

'Dat zeg jij. Maar je hebt me nog geen enkel antwoord gegeven dat me tevreden stelt.'

De reactie van de sacerdote op deze opmerking was een bijna onmerkbare vergroting van zijn pupillen.

'Uitstekend,' zei Joaz. 'Kun je nog een element bedenken van deze ingewikkelde drijfveer waarover wij spreken?'

'Ja.'

'Welk is dat?'

'Ik stel belang in antiquiteiten. Ik ben naar je studeerkamer gekomen om je relikwieën van de oude werelden te bewonderen.'

'Inderdaad?' Joaz trok zijn wenkbrauwen op. 'Wat een geluk dat ik zulke fascinerende schatten bezit. Welke van mijn antiquiteiten wekken het meest je belangstelling?'

'Je boeken, je kaarten, je grote globe van de Aartswereld.'

'De Aartswereld? Eden?'

'Dat is een van zijn namen.'

Joaz tuitte zijn lippen. 'Dus je komt hier om mijn antieke voorwerpen te bestuderen. Welaan, welke andere elementen bestaan er nog van die drijfveer?'

De sacerdote aarzelde een ogenblik. 'Er is me gesuggereerd hierheen te komen.'

'Door wie?'

'Door de Demie.'

'Waarom suggereerde hij dat?'

'Ik ben er niet zeker van.'

'Kun je ernaar gissen?'

'Ja.'

'Wat zijn je gissingen dan?'

De sacerdote maakte een klein, achteloos gebaar met de vingers van een hand. 'De Demie zou kunnen wensen een Volslagen Mens te worden, en poogt daarom de grondslagen van je bestaan te leren kennen. Of de Demie zou kunnen wensen de handelsgoederenreglementen te veranderen. Of de Demie zou gefascineerd kunnen zijn door mijn beschrijvingen van jouw antieke voorwerpen. Of de Demie is misschien nieuwsgierig naar de scherpte van je kijkpanelen. Of...'

'Genoeg. Welke van deze gissingen, en andere gissingen die je nog niet genoemd hebt, acht je de meest waarschijnlijke?'

'Geen ervan.'

Weer trok Joaz zijn wenkbrauwen op. 'Hoe verklaar je dat?'

'Aangezien ieder gewenst aantal gissingen bedacht kan worden, is de noemer van iedere waarschijnlijkheidsbreuk variabel en wordt het hele concept betekenisloos.'

Joaz grijnsde vermoeid. 'Welk van de gissingen die je tot op dit moment voor de geest zijn gekomen lijkt je het meest aannemelijk?'

'Ik vermoed dat de Demie het wenselijk acht dat ik hier kom staan.'

'Wat bereik je ermee door hier te staan?'

'Niets.'

'Dan stuurt de Demie je hier niet heen om te staan.'

Op deze bewering gaf de sacerdote geen antwoord.

Joaz stelde zorgvuldig een nieuwe vraag op. 'Wat denk je dat de Demie hoopt dat je bereiken zult door hier te komen staan?'

'Ik geloof dat hij wil dat ik leer hoe Volslagen Mensen denken.'

'En leer je hoe ik denk door hier te komen?'

'Ik leer een heleboel.'

'Wat heb je daaraan?'

'Ik weet het niet.'

'Hoe vaak ben je in mijn studeerkamer geweest?'

'Zeven maal.'

'Waarom ben jij speciaal uitgekozen om te komen?'

'De synode heeft mijn *tand* goedgekeurd. Ik zou de volgende Demie kunnen zijn.'

Joaz zei over zijn schouder tegen Phade: 'Zet thee.' Toen richtte hij zich weer tot de sacerdote. 'Wat is een *tand*?'

De sacerdote haalde diep adem. 'Mijn *tand* is de voorstelling van mijn ziel.'

'Hmm. Hoe ziet hij eruit?'

De uitdrukking van de sacerdote was onpeilbaar. 'Hij kan niet beschreven worden.'

'Heb ik er een?'

'Nee.'

Joaz haalde zijn schouders op. 'Dan kun je mijn gedachten lezen.'

Stilte.

'Kun je mijn gedachten lezen?'

'Niet goed.'

'Waarom zou je mijn gedachten willen lezen?'

'Wij leven samen in het heelal. Omdat het ons niet is toegestaan te handelen, zijn we verplicht te weten.'

Joaz glimlachte sceptisch. 'Wat heb je aan kennis, als je niet mag handelen naar wat je weet?'

'De gebeurtenissen volgen de Rationale, zoals water in een kom loopt en een poel vormt.'

'Bah!' zei Joaz opeens geïrriteerd. 'Je doctrine verplicht je je niet met onze zaken te bemoeien, maar toch sta je je "Rationale" toe om omstandigheden te scheppen waardoor de gebeurtenissen worden beïnvloed. Is dat juist?'

'Ik weet het niet zeker. Wij zijn een passief volk.'

'Toch moet de Demie een plan hebben gehad toen hij je hierheen stuurde. Is dat niet juist?'

'Dat kan ik niet zeggen.'

Joaz ging over op een ander onderwerp. 'Waar gaat de tunnel achter mijn werkplaats heen?'

'Naar een grot.'

Phade zette een zilveren pot neer voor Joaz. Hij schonk in en dronk nadenkend. Wedstrijden bestonden er in talloze variaties: hij en de sacerdote waren bezig aan een spel verstoppertje van woorden en ideeën. De sacerdote was geschoold in geduld en soepel ontwijken, wat Joaz kon bestrijden met vastberadenheid en trots. De sacerdote had het nadeel dat hij gedwongen was de waarheid te spreken; Joaz daarentegen moest tastend zijn weg zoeken alsof hij geblinddoekt was, onbekend met het doel dat hij zocht en onwetend van de prijs die er te winnen viel. Goed dan, dacht hij, laten we verder gaan. We zullen zien wiens zenuwen het eerst gaan rafelen. Hij bood de sacerdote thee aan, die weigerde door zijn hoofd te schudden, eenmaal en zo snel dat het alleen maar een korte huivering leek.

Joaz maakte een gebaar dat het hem allemaal gelijk was. 'Mocht je spijs of lafenis wensen,' zei hij, 'maak dat dan alsjeblieft bekend. Ik geniet zo buitensporig van ons gesprek dat ik vrees dat ik het wellicht zal voortzetten tot de grens van je geduld. Vast en zeker zul je toch liever gaan zitten?'

'Nee.'

'Zoals je wilt. Welaan, terug naar ons gesprek. Die grot die je noemde – wordt hij bewoond door sacerdotes?'

'Ik begrijp je vraag niet.'

'Gebruiken sacerdotes die grot?'

'Ja.'

Uiteindelijk, stukje bij beetje, trok Joaz er de inlichting uit dat de grot verbonden was met een reeks kamers waarin de sacerdotes metaal smolten, glas kookten, aten, sliepen, hun rituelen verrichtten. Eenmaal was er een opening naar het

Banbeckdal geweest, maar die was lang geleden al gedicht. Waarom? In de hele sterrengroep woedden oorlogen; bendes verslagen mensen namen de vlucht naar Aerlith en stichtten nederzettingen in kloven en dalen. De sacerdotes gaven de voorkeur aan een ongebonden bestaan en hadden hun grotten van de buitenwereld afgesloten. Waar was deze opening? De sacerdote klonk vaag, onbepaald. Ergens aan het noordelijke einde van het dal. Achter de Banbeck Kegels? Mogelijk. Maar de handel tussen mensen en sacerdotes geschiedde bij een grotopening onder de berg Gethron. Waarom? Een kwestie van gewoonte, verklaarde de sacerdote. Bovendien was deze plek makkelijker te bereiken vanuit de Gelukkige Vallei en de Fosforkloof. Hoeveel sacerdotes woonden er in deze grotten? Onzekerheid. Sommigen waren misschien gestorven, anderen wellicht geboren. Hoeveel waren er deze ochtend naar schatting? Misschien vijfhonderd.

Op dit punt stond de sacerdote te zwaaien en Joaz was hees. 'Terug naar je drijfveer – of de elementen van je drijfveren om naar mijn studio te komen. Houden die op een of andere manier verband met de ster Coralyne, en een mogelijke nieuwe komst van de Grondvormen, of grefs zoals ze eertijds werden genoemd?'

Opnieuw leek de sacerdote te aarzelen. Toen: 'Ja.'

'Zullen de sacerdotes ons helpen tegen de Grondvormen, mochten ze komen?'

'Nee.' Dit antwoord kwam kortaf en beslist.

'Maar ik veronderstel dat de sacerdotes willen dat de Grondvormen weggejaagd worden?'

Geen antwoord.

Joaz formuleerde zijn vraag anders. 'Wensen de sacerdotes dat de Grondvormen van Aerlith worden geweerd?'

'De Rationale vraagt ons ons afzijdig te houden van de zaken van mensen én van niet-mensen.'

Joaz liet zijn lip krullen. 'Stel dat de Grondvormen jullie grotten binnendrongen, jullie meesleepten naar de planeet van Coralyne, wat dan?'

De sacerdote leek bijna te lachen. 'Die vraag kan niet beantwoord worden.'

'Zouden jullie je tegen de Grondvormen verzetten als ze zo'n poging deden?'

'Ik kan je vraag niet beantwoorden.'

Joaz lachte. 'Maar het antwoord is niet nee?'

De sacerdote beaamde dit.

'Hebben jullie dan wapens?'

De milde blauwe ogen van de sacerdote leken gesluierd te worden. Geheimzinnigheid? Moeheid? Joaz herhaalde zijn vraag.

'Ja,' antwoordde de sacerdote. Zijn knieën knikten, maar hij richtte zich snel weer op.

'Wat voor soort wapens?'

'Talloze soorten. Projectielen, zoals stenen. Steekwapens, zoals gebroken stokken. Snij- en scheurwapens, zoals kookgerei.' Zijn stem begon zwakker te worden alsof hij wegliep. 'Giffen – arsenicum, zwavel, triventidum, zuur, zwartspoor. Brandwapens, zoals toortsen en lenzen om het zonlicht te bundelen. Wapens om te verstikken – touwen, stroppen, lussen en snoeren. Putten, om de vijand te verdrinken...'

'Ga zitten, rust uit,' spoorde Joaz aan. 'Je opsomming interesseert mij, maar het totale effect lijkt niet doeltreffend. Hebben jullie nog andere wapens die de Grondvormen afdoend zouden verdrijven als ze jullie zouden aanvallen?'

Deze vraag, met opzet of door toeval, werd niet beantwoord.

De sacerdote zonk op zijn knieën, langzaam, alsof hij bad. Hij viel voorover op zijn gezicht, gleed toen op zijn zij. Joaz sprong naar hem toe, trok het hoofd omhoog aan het haar. De ogen, halfopen, onthulden een enge witte oogbol. 'Spreek!' commandeerde Joaz. 'Antwoord op mijn laatste vraag! Hebben jullie wapens – of een wapen – om een aanval van de Grondvormen af te slaan?'

De bleke lippen bewogen. 'Ik weet het niet.'

Joaz fronste, tuurde in het wasbleke gezicht, deinsde verbijsterd achteruit. 'Deze man is dood.'

Phade keek op van de bank waar ze lag te soezen, met een roze gezicht en verwarde haren. 'Je hebt hem gedood!' riep ze met een gedempte stem van afschuw.

'Nee. Hij is gestorven – of liet zich sterven.'

Phade wankelde met haar ogen knipperend door de kamer, kwam dicht naast Joaz die haar afwezig wegduwde. Phade trok een lelijk gezicht, haalde haar schouders op en marcheerde de kamer uit toen Joaz haar geen aandacht schonk.

Joaz ging weer zitten, starend naar het slappe lichaam. 'Hij werd pas moe,' mompelde hij, 'toen ik in de buurt van geheimen kwam.'

Weldra sprong hij overeind, liep naar de hal en stuurde Rife weg om een barbier te halen. Een uur later lag het lijk, ontdaan van zijn haar, op een houten draagbaar onder een laken en Joaz hield een ruwe pruik in zijn handen die van het lange haar was gemaakt.

De barbier vertrok; bedienden droegen het lijk weg. Joaz stond alleen in zijn studio, gespannen en met een licht gevoel in zijn hoofd. Hij legde zijn kleren af zodat hij naakt kwam te staan als de sacerdote. Voorzichtig trok hij de pruik over zijn schedel en bekeek zich in de spiegel. Wat was er anders, voor het vluchtig oog? Er ontbrak iets. De halsband. Joaz sloot hem om zijn nek, bekeek nogmaals zijn spiegelbeeld, weifelend.

Hij liep de werkplaats in, aarzelde, maakte de val open, trok voorzichtig de stenen plaat weg. Op handen en knieën tuurde hij in de tunnel en omdat deze donker was haalde hij er een glazen flacon met lichtgevende algen bij. In het zwakke licht leek de tunnel verlaten. Zijn angsten van zich afzettend klauterde Joaz door de opening. De tunnel was smal en laag; hij bewoog zich behoedzaam voorwaarts, zijn zenuwen tintelend van oplettendheid.

Hij hield vaak halt om te luisteren, maar hoorde niets behalve het fluisteren van zijn eigen hartslag.

Na ongeveer honderd meter kwam de tunnel uit in een natuurlijke grot. Joaz bleef staan, besluiteloos, zijn oren spitsend. Lichtgevende flessen die op onregelmatige afstanden aan de muren waren bevestigd gaven enig licht, genoeg om de richting van de grot te onderscheiden, die noordelijk leek, evenwijdig aan de lengteas van het dal. Joaz ging weer op weg, om de paar meter staan blijvend om te luisteren. Voor zover hij wist waren de sacerdotes een zachtmoedig en niet agressief volk, maar ze deden ook ontzettend geheimzinnig. Hoe zouden ze reageren op de aanwezigheid van een indringer? Joaz wist het niet, en ging daarom uiterst voorzichtig verder.

De grot rees, daalde, werd breder, smaller. Weldra stiet Joaz op bewijs dat hij gebruikt werd – kleine hokken, uitgehold in de wanden, verlicht door kandelaars die hoge flessen lichtgevend materiaal bevatten. In twee van de hokjes trof Joaz sacerdotes, de eerste slapend op een rieten mat, de tweede zat met gekruiste benen een toestand van verbogen metalen staven te fixeren. Ze schonken Joaz geen aandacht; met iets zelfverzekerder pas liep hij door.

De grot helde omlaag, werd breder als een hoorn des overvloeds, brak opeens door in een grot die zo immens was dat Joaz een geschrokken ogenblik dacht dat hij de nacht was ingestapt. De

zoldering reikte voorbij het flikkeren van de my-
riaden lampen, vuren en gloeiende flessen. Vooruit en links schenen smelters in bedrijf te zijn;
daarna onttrok een bocht in de wand een deel van
de grot aan het oog. Joaz ving een glimp op van
een buizenconstructie van enkele lagen die een
soort werkplaats scheen te zijn, want een groot
aantal sacerdotes was er bezig met ingewikkelde
activiteiten. Rechts stond een stapel balen; een
reeks vaten bevatte goederen van onbekende aard.
Voor het eerst zag Joaz sacerdote-vrouwen. Het
waren noch de nimfen noch de halfmenselijke
heksen waarvoor ze in het populaire geloof door-
gingen. Net als de mannen leken ze bleek en bros,
met scherp getekende trekken; net als de mannen
bewogen ze zich zorgvuldig en nadrukkelijk; en
net als de mannen droegen ze alleen hun tot het
middel reikende haar. Er werd weinig gesproken
en niet gelachen; er hing eerder een sfeer van niet
ongelukkige vreedzaamheid en concentratie. De
grot wasemde een gevoel van tijd uit, van gebruik
en gewoonte. De stenen vloer was gepolijst door
de eindeloze stappen van blote voeten; de adem
van talrijke generaties had de muren verweerd.

Niemand stoorde zich aan Joaz. Hij bewoog zich
langzaam vooruit, in de schaduwen blijvend, en hij
hield stil bij de stapel balen. Rechts slonk de grot
onregelmatig tot een immense horizontale koker,
die wegliep, kronkelde, in elkaar schoof, alle werkelijkheid verloor in het fletse licht.

Joaz doorzocht met zijn ogen de hele enorme grot. Waar zou het arsenaal zijn, met de wapens waarvan de sacerdote hem door te sterven had verzekerd dat ze bestonden? Joaz richtte zijn aandacht weer op het linkerdeel, zijn ogen inspannend om details te zien in de vreemde gelaagde werkplaats die zich vijftien meter van de stenen vloer verhief. Een vreemd bouwwerk, dacht Joaz, die zijn nek uitrekte; de aard ervan kon hij niet begrijpen. Maar alle aspecten van de grote grot – zo dicht bij het Banbeckdal en zo afgelegen – waren vreemd en wonderlijk. Wapens? Die zouden overal kunnen zijn; in ieder geval durfde hij er niet langer naar te zoeken. Er viel verder niets te leren zonder de kans te lopen dat hij werd ontdekt. Hij ging terug zoals hij gekomen was – de donkere gang in, langs de hokjes aan de zijkant, waar de twee sacerdotes nog precies dezelfde houdingen hadden als de eerste keer – de ene sliep, de andere intens bezig met de toestand van gebogen metaal. Hij liep verder en verder. Was hij van zover gekomen? Waar was de spleet die naar zijn eigen kamers leidde? Was hij hem gepasseerd, moest hij ernaar zoeken? Paniek rees in zijn keel, maar hij ging verder, nauwkeurig kijkend. Daar, hij had de juiste weg gevolgd! Daar opende de spleet zich aan zijn rechterkant, een bijna geliefde en vertrouwde spleet. Hij dook erin, liep met lange glijdende passen, als een man onder water, zijn lichtgevende buis voor zich uit houdend. Voor hem rees een geestverschijning op, een lange witte gedaante. Joaz verstarde. De magere gedaante kwam onverbiddelijk op hem af. Joaz drukte zich tegen de wand. De gestalte beende op hem af en kromp ineens tot menselijke proporties. Het was de jonge sacerdote die Joaz had kaalgeknipt en voor dood had achtergelaten. Hij bleef tegenover Joaz staan, zijn milde blauwe ogen helder van verwijt en minachting. 'Geef mij mijn halsband.'

Met verstijfde vingers verwijderde Joaz de gouden band. De sacerdote nam hem aan, maar maakte geen aanstalten hem zelf om te doen. Hij keek naar het haar dat zwaar op Joaz' schedel rustte. Met een dwaze grijns nam Joaz de verwarde pruik af en bood hem aan de ander aan. De sacerdote sprong achteruit alsof Joaz een trol was geworden. Langs hem heen glijdend, zo ver van Joaz vandaan als de gang toestond, beende hij snel de tunnel uit. Joaz liet de pruik op de vloer vallen, staarde neer op de warrige hoop mensenhaar. Hij draaide zich om, keek de sacerdote na, een bleke verschijning die spoedig oploste in de schemer. Langzaam liep Joaz verder door de tunnel. Daar – een langwerpige lichtvlek, de opening naar zijn werkplaats. Hij kroop erdoor, terug in de ware wereld. Wild, met al zijn kracht, schoof hij de stenen plaat terug in het gat, sloeg de barrière ervoor die de sacerdote oorspronkelijk had gevangen.

Joaz' kleren lagen waar hij ze had laten vallen. Zich in een mantel wikkelend liep hij naar de deur, keek de voorkamer in, waar Rife zat te soezen. Joaz knipte met zijn vingers. 'Haal metselaars, met mortel, staal en stenen.'

Joaz baadde zich grondig, wreef zich keer op keer in met emulsie, spoelde zich steeds opnieuw af. Toen hij uit het bad kwam bracht hij de wachtende metselaars naar zijn werkplaats en beval hun het gat te dichten.

Toen legde hij zich te ruste. Met een beker wijn in zijn hand liet hij zijn geest zwerven en dwalen. Herinnering ging over in gepeins, gepeins werd droom. Opnieuw wandelde Joaz de tunnel af, op voeten zo licht als distelpluis, door de lange grot en de sacerdotes in hun hokjes hieven nu het hoofd om hem na te kijken. Eindelijk stond hij aan de rand van de enorme ondergrondse leegte en opnieuw keek hij met ontzag naar rechts en naar links. Nu zweefde hij over de vloer, langs sacerdotes die ernstig zwoegden boven vuren en aambeelden. Vonken stegen op uit retorten, blauw gas flakkerde boven smeltend metaal.

Joaz liep door naar een kleine kamer die in de rots was uitgehakt. Hier zat een oude man, mager als een lat, wiens manen sneeuwwit waren. De man bestudeerde Joaz met peilloze blauwe ogen en sprak, maar zijn stem was gedempt, onverstaanbaar. Hij sprak opnieuw: de woorden galmden luid in Joaz' geest.

'Ik heb je hier gebracht om je te waarschuwen, om te voorkomen dat je ons kwaad doet, zonder er zelf van te profiteren. Het wapen dat je zoekt bestaat niet en gaat je verbeelding te boven. Verwijder het uit je ambities.'

Met grote inspanning wist Joaz te stamelen: 'De jonge sacerdote ontkende het niet; dit wapen moet bestaan!'

'Alleen binnen de enge grenzen van een speciale interpretatie. De jongen kan niets anders dan de letterlijke waarheid spreken, en evenmin kan hij anders dan wellevend handelen. Hoe kun je je nog afvragen waarom wij ons afzijdig houden? Jullie Volslagen Mensen vinden zuiverheid onbegrijpelijk; jij dacht je te bevoordelen, maar bereikte niets anders dan een oefening in rat-gelijke heimelijkheid. Om te voorkomen dat je het nog eens probeert met grotere vermetelheid, moet ik mij vernederen door de zaken recht te zetten. Ik verzeker je, dit zogenaamde wapen valt volledig buiten jouw begrip.'

Eerst schaamte en daarna verontwaardiging overspoelden Joaz; hij riep uit: 'U begrijpt niet hoe dringend het voor mij is! Waarom zou ik anders moeten optreden? Coralyne is dichtbij; de Grondvormen komen nader. Zijn jullie geen mensen? Waarom willen jullie ons niet helpen de planeet te verdedigen?'

De Demie schudde zijn hoofd, en het witte haar golfde hypnotisch traag. 'Ik citeer je de Rationale: lijdelijkheid, volslagen en absoluut. Dit houdt eenzaamheid in, onschendbaarheid, berusting, vrede.

Kun je je de zielsnood voorstellen die ik riskeer door met jou te praten? Ik kom tussenbeide, ik bemoei me met anderen, onder enorme pijn voor de geest. Laat er een eind aan zijn. Wij hebben je studio bekeken, zonder je kwaad te doen, zonder je waardigheid te krenken. Jij hebt een bezoek gebracht aan onze zaal, na eerst een edele jongeman vernederd te hebben. Laat het hierbij blijven, laat geen van beide partijen meer spioneren. Stem je daarmee in?'

Joaz hoorde zijn stem antwoorden, helemaal zonder zijn bewuste bevel; hij klonk schriller en met meer neusklanken dan hem beviel. 'U biedt deze overeenkomst aan nu u zich verzadigd heeft aan mijn geheimen, maar ik ken er niet één van u.'

Het gezicht van de Demie leek kleiner te worden en te huiveren. Joaz las er minachting op, en in zijn slaap lag hij te woelen en te trekken. Hij deed zijn best met kalme, redelijke stem te spreken. 'Kom, wij zijn samen mensen; waarom zouden we tegenover elkaar staan? Laat ons onze geheimen delen, laat ieder de ander helpen. Onderzoek mijn archieven, mijn kisten, mijn relikwieën op uw gemak, en sta mij dan toe dit niet bestaande maar bestaande wapen te bestuderen. Ik zweer dat het alleen tegen de Grondvormen gebruikt zal worden, ter bescherming van ons beiden.'

De ogen van de Demie vonkten. 'Nee.'

'Waarom niet?' wilde Joaz weten. 'U wilt toch niet dat ons kwaad geschiedt?'

'Wij zijn onbevangen en kennen geen hartstochten. Wij wachten op jullie uitsterven. Jullie zijn de Volslagen Mensen, en het laatste restant van de mensheid. En als jullie verdwenen zijn, zullen jullie donkere gedachten en grimmige plannen verdwenen zijn; moord en pijn en boosaardigheid zullen verdwenen zijn.'

'Dat kan ik niet geloven,' zei Joaz. 'Misschien zijn er geen mensen meer in deze groep sterren, maar in de rest van het heelal? De Oude Heerschappij reikte ver; vroeg of laat keren de mensen terug op Aerlith.'

De stem van de Demie werd klagend. 'Denk je soms dat wij alleen spreken vanuit ons geloof? Twijfel je aan onze kennis?'

'Het heelal is groot. De Oude Heerschappij reikte ver.'

'De laatste mensen wonen op Aerlith,' zei de Demie. 'De Volslagen Mensen en de sacerdotes. Jullie zullen verdwijnen: wij zullen de Rationale uitdragen als een roemrijke banier, door alle werelden van de hemel.'

'En hoe transporteren jullie jezelf op deze missie?' vroeg Joaz sluw. 'Kunnen jullie naar de sterren vliegen, even naakt als jullie over de vlakten lopen?'

'Er zal een manier zijn. De tijd is lang.'

'Voor jullie plannen moet de tijd wel lang zijn. Zelfs op de planeten van Coralyne zijn mensen. Geknecht, vervormd in lichaam en geest, maar het zijn mensen. Het lijkt mij dat u zich vergist, dat u zich werkelijk alleen door uw geloof laat lijden.'

De Demie zweeg. Zijn gezicht leek te verstrakken.

'Zijn dat geen feiten?' vroeg Joaz. 'Hoe verenigt u die met uw geloof?'

De Demie zei zacht: 'Feiten kunnen nimmer verenigd worden met geloof. Volgens ons geloof zullen deze mensen, als ze bestaan, ook verdwijnen. De tijd is lang; o, de werelden van helderheid: ze wachten ons!'

'Het is duidelijk,' zei Joaz, 'dat jullie aan de kant staan van de Grondvormen, dat jullie hopen dat wij uitgeroeid worden, en dit kan onze houding tegenover jullie alleen maar veranderen. Ik ben bang dat Ervis Carcolo gelijk had en ik ongelijk.'

'Wij blijven passief,' zei de Demie. Zijn gezicht werd wazig, leek in vlekkerige kleuren te zwemmen. 'Zonder emotie zullen wij getuige zijn van het verscheiden van de Volslagen Mens, zonder te helpen of te hinderen.'

Joaz sprak in woede: 'Uw geloof, uw Rationale – hoe u het ook noemt – misleidt u. Ik uit dit dreigement – als u ons niet helpt, dan zult u lijden zoals wij lijden.'

'Wij zijn passief, wij zijn onverschillig.'

'En uw kinderen? De Grondvormen maken geen verschil tussen ons. Ze zullen u even vlot naar hun kooien voeren als ons. Waarom zouden wij vechten om u te beschermen?'

Het gezicht van de Demie vervaagde, ging schuil achter plekken doorzichtige mist; zijn ogen gloeiden als rot vlees. 'Wij hebben geen bescherming nodig,' huilde hij. 'Wij zijn veilig.'

'Jullie zullen ons lot delen,' riep Joaz. 'Dat beloof ik u!'

De Demie stortte opeens in tot een kleine droge schil, als een dode mug; ongelooflijk snel vloog Joaz terug door de grotten, de tunnels, door zijn werkplaats omhoog naar zijn studio, zijn slaapkamer waar hij nu met een ruk rechtop ging zitten, met starende ogen, een pijnlijke keel, een droge mond.

De deur ging open; het hoofd van Rife verscheen. 'Heeft u geroepen, heer?'

Joaz keek door de kamer. 'Nee. Ik heb niet geroepen.'

Rife trok zich terug. Joaz ging weer liggen, staarde naar de zoldering. Hij had een hoogst eigenaardige droom gehad. Een droom? Een synthese van zijn eigen verbeelding? Of, waarschijnlijk genoeg, een confrontatie en uitwisseling tussen twee geesten? Onmogelijk om het zeker te weten, en misschien niet ter zake; de gebeurtenis bezat zijn eigen overtuigingskracht. Joaz zwaaide zijn benen over de rand van zijn slaapbank, knipperde met zijn ogen naar de vloer. Droom of samenspraak, het was allemaal gelijk. Hij stond op, trok sandalen aan en een gele bontmantel, hobbelde naargeestig gestemd naar de raadkamer en stapte een zonnig balkon op.

De dag was voor tweederde afgelopen. Boven de westelijke rotswanden hingen dichte schaduwen. Links en rechts strekte zich het Banbeckdal uit. Nooit had het welvarender of vruchtbaarder geleken, en ook nooit zo onwerkelijk, alsof hij een vreemde op de planeet was. Hij keek naar het noorden langs de immense stenen wal die steil oprees naar de Banbeckzoom. Ook die was onwerkelijk, een façade waarachter de sacerdotes woonden. Hij nam de rotswand schattend op, tekende er in gedachten de enorme grot op. De klif aan de noordkant van het dal kon nauwelijks meer zijn dan een schaal!

Joaz richtte zijn aandacht op het oefenveld waar Jaggers monter stampend verdedigingsmanoeuvres uitvoerden. Hoe vreemd was de kwaliteit van het leven, dat Grondvorm en Jagger had geproduceerd, sacerdote en hemzelf. Hij dacht aan Ervis Carcolo en worstelde met een plotselinge ergernis. Carcolo was een hoogst onwelkome afleiding op dit moment; hij zou geen verdraagzaamheid tonen als Carcolo eindelijk rekenschap moest afleggen. Een lichte voetstap achter hem, de aanraking van bont, vrolijke handen, de geur van wierook. Joaz' zorgen vielen van hem af. Als er niet zulke schepsels bestonden als minstreelmaagden, dan was het noodzakelijk ze uit te vinden.

Diep onder de Banbeckwand, in een hokje dat verlicht werd door een kandelaar met twaalf buizen, zat rustig een naakte man met witte haren. Op een voetstuk ter hoogte van zijn ogen rustte zijn *tand*, een ingewikkelde constructie van gouden staven en zilverdraad, schijnbaar willekeurig geweven en gebogen. De toevalligheid van het ontwerp was echter schijn. Iedere kromming symboliseerde een aspect van Uiteindelijk Bewustzijn; de schaduw die op de muur werd geworpen vertegenwoordigde de Rationale, voortdurend veranderend, steeds gelijk.

Het voorwerp was heilig voor de sacerdotes, en diende als bron van openbaring. Er kwam nooit een eind aan de studie van de *tand*: voortdurend werden er nieuwe intuïties onttrokken aan een tot dan toe over het hoofd geziene verhouding tussen hoek en kromming. De nomenclatuur was complex: ieder onderdeel, ieder knooppunt, bocht en kronkel had zijn eigen naam; ieder aspect van de verhoudingen tussen de verschillende onderdelen was eveneens in categorieën onderverdeeld. Zo was de cultus van de *tand*: duister, veeleisend, zonder middenwegen. Bij zijn puberteitsriten kon de jonge sacerdote de oorspronkelijke *tand* net zo lang bestuderen als hij wilde; daarna moest ieder van de pubers een duplicaat van de *tand* construeren, uitsluitend afgaand op zijn geheugen. Dan vond de belangwekkendste gebeurtenis van zijn hele leven plaats: het schouwen van zijn *tand* door de ouderen. In een ontzagwekkende stilte, uren achtereen, contempleerden ze zijn schepping, wogen de oneindig kleine variaties in proportie, hoeken, krommingen en bochten. Zo bepaalden zij de kwaliteit van de kandidaat, beoordeelden zij zijn persoonlijke kenmerken, bepaalden zijn begrip van het Uiteindelijk Bewustzijn, de Rationale en de Basis.

Af en toe onthulde de getuigenis van de *tand* een zo besmet karakter dat het ondraaglijk werd geoordeeld: de weerzinwekkende *tand* werd dan in een oven geworpen, het gesmolten metaal in een latrine gestort, en de ongelukkige kandidaat werd uitgestoten naar het oppervlak van de planeet, om daar op eigen benen te leven.

De naakte witharige Demie, zijn eigen prachtige *tand* schouwend, zuchtte, bewoog rusteloos. Hij was bezocht door een invloed die zo vurig was, zo hartstochtelijk, tegelijk zo wreed en teder, dat zijn geest bedrukt was. Ongevraagd sijpelde een donkere gedachte in zijn geest. Kan het zijn, vroeg hij zichzelf, dat wij onbewust afgedwaald zijn van de ware Rationale? Bestuderen wij onze *tands* met blinde ogen? Hoe moest men dit weten, o hoe moest men dit weten! Alles is betrekkelijk eenvoudig en duidelijk in de rechtzinnigheid, maar hoe valt het te ontkennen dat het goede op zichzelf onontkenbaar is? Absolute formuleringen zijn de onzekerste van allemaal, terwijl de onzekerheden het reëelst zijn.

Twintig mijlen voorbij de bergen, in het lange bleke licht van de middag van Aerlith, smeedde Ervis Carcolo zijn eigen plannen. 'Met durf, door hard toe te slaan, door diep te snijden kan ik hem verslaan! In besluitvaardigheid, in moed, in uithoudingsvermogen ben ik meer dan zijn gelijke. Hij zal mij niet nog eens voor gek zetten, mijn draken afslachten en mijn mannen doden! O, Joaz Banbeck, wat zal ik je terugbetalen voor je list!' Toornig hief hij zijn armen. 'O, Joaz Banbeck, jij bleek schaap!' Carcolo sloeg met zijn vuist in de lucht. 'Ik zal je verpletteren als een klomp droog mos!' Hij fronste zijn voorhoofd, wreef zijn ronde rode kin. 'Maar hoe? Waar? Alle voordelen staan aan zijn kant!'

Carcolo peinsde over zijn strategie. 'Hij verwacht dat ik aanval, zoveel is zeker. Zonder twijfel wacht hij weer in hinderlaag. Daarom zal ik iedere centimeter laten patrouilleren, maar ook dat zal hij verwachten en dus op zijn hoede zijn om te voorkomen dat ik donderend op zijn nek spring. Zal hij zich verstoppen achter Despoire, of langs de Noordwacht, om me te pakken als ik de Skanse oversteek? Zo ja, dan moet ik via een andere weg naderen – door de Schreierspas en onder Gethron door? Dan, als hij talmt met oprukken, ontmoet ik hem op de Banbeckzoom. En als hij vroeg is, dan besluip ik hem door de pieken en kloven.'

Zeven

Terwijl de koude ochtendregen op hem neer roffelde en het pad alleen verlicht werd door het flitsen van de bliksem, gingen Ervis Carcolo, zijn mannen en draken op weg. Toen de eerste vonk van zonlicht de berg Despoire trof, waren ze de Schreierspas al overgestoken.

Tot zo ver gaat alles goed, dacht Carcolo uitgelaten. Hij stond rechtop in zijn stijgbeugels om de Breekstervlakte te overzien. Geen spoor te bekennen van de legers van Banbeck. Hij wachtte, de verre rand van de Noordwachtrichel afspeurend die zwart tegen de hemel afstak. Er ging een minuut voorbij, twee minuten; de mannen sloegen in hun handen, de draken bromden en mopperden kribbig. Carcolo's ribben begonnen te prikken van ongeduld; hij wriemelde met zijn handen en vloekte. Konden zelfs de allereenvoudigste plannen niet foutloos worden uitgevoerd? Maar nu flikkerde er een heliograaf op de Barchspits, en daarna een in het zuidoosten op de hellingen van de berg Gethron. Carcolo wuifde zijn leger voorwaarts; de weg over de Breekstervlakte was vrij. Omlaag uit de Schreierspas stroomde het leger van de Gelukkige Vallei. Eerst kwamen de Langhoornige Moordenaars, uitgerust met stalen pieken en met kammen van stalen haken; daarna de ziedende rode horde van Hellevegen, met heen en weer schietende koppen terwijl ze draafden; en daarachter kwam het restant van de troepenmacht.

De Breekstervlakte spreidde zich weids voor hen uit, een rollende vlakte bezaaid met meteoorfragmenten die schitterden als vuurstenen bloemen op het grijsgroene mos. Aan alle kanten rezen majestueuze pieken op. De sneeuwkransen straalden felwit in het heldere licht van de morgen: op de bergen Gethron en Despoire, de Barchspits en ver in het zuiden de Klauwstreep.

De verkenners kwamen aanrijden van links en rechts en brachten gelijkluidende verslagen uit. Er was geen spoor van Joaz Banbeck of zijn soldaten. Carcolo begon met een nieuwe mogelijkheid te spelen. Misschien had Banbeck zich niet verwaardigd mannen uit te sturen. Dit idee maakte hem razend en vervulde hem tegelijk met diepe vreugde: als dat het geval was zou Joaz zwaar boeten voor zijn onachtzaamheid.

Halverwege de Breekstervlakte stootten ze op een kraal bevolkt met tweehonderd van Banbecks Duivelskuikens. Twee oude mannen en een jongen zorgden voor de kraal en ze zagen de horde uit de Gelukkige Vallei met dodelijke angst naderen.

Maar Carcolo reed langs zonder de kraal te vernielen. Als hij vandaag won, behoorden de draken tot zijn buit; verloor hij, dan konden de kuikens hem geen schade toebrengen.

De oude mannen en de jongen stonden op het dak van hun plaggenhut en keken toe terwijl Carcolo en zijn troepen langstrokken – de mannen in zwarte uniformen met zwarte kleppetten en lange oorflappen; de draken springend, kruipend, dravend, sjokkend naar gelang hun aard, met glitterende schubben; het doffe rood en bruin van de Hellevegen; de giftige glans van de Blauwe Gruwels; de zwartgroene Duivels; de grijs met bruine Jaggers en Moordenaars. Ervis Carcolo reed in de rechterflank, Bast Givven in de achterhoede. En nu versnelde Carcolo het tempo, geplaagd door de angst dat Banbeck zijn Duivels en Jaggers tegen de Banbeckwand op zou drijven voor Carcolo ter plaatse kwam om hem weg te jagen – aangenomen dat Banbeck inderdaad in zijn slaap verrast was.

Maar Carcolo bereikte de zoom zonder zijn vijand te ontmoeten. Hij schreeuwde het uit van triomf, zwaaide met zijn pet. 'Joaz Banbeck de trage slak! Laat hem nu maar proberen de Banbeckwand te beklimmen!' En Ervis Carcolo bekeek het Banbeckdal met het oog van de veroveraar.

Bast Givven scheen niets van Carcolo's triomfantelijke roes te delen. Hij hield een onbehaaglijk oog op het noorden en het zuiden en achter zich gericht.

Carcolo hield hem gemelijk uit zijn ooghoek in de gaten en riep even later: 'Ho, ho daar! Wat is er mis?'

'Misschien veel, misschien niets,' zei Givven terwijl hij de omgeving afspeurde.

Carcolo blies zijn wangen op. Givven vervolgde, met de koele stem die Carcolo zo gruwelijk irriteerde: 'Joaz Banbeck schijnt ons net als eerst te slim af te zijn.'

'Waarom zeg je dat?'

'Oordeel zelf maar. Zou hij ons een voordeel gunnen zonder de prijs van een vrek te bedingen?'

'Onzin!' mopperde Carcolo. 'De slak is log en vet van zijn vorige overwinning.' Maar hij wreef over zijn kin en gluurde onbehaaglijk in het dal. Van hier leek het eigenaardig rustig. De akkers en kazernes waren merkwaardig stil. Het werd kil rond Carcolo's hart. Toen riep hij uit: 'Kijk naar de fokkerij, daar zijn de draken van Banbeck!'

Givven tuurde ingespannen naar het dal, keek toen even zijdelings naar Carcolo. 'Drie Hellevegen in het ei.' Hij richtte zich op en zette het hele dal uit zijn gedachten en onderwierp de pieken en richels in het noorden en oosten aan een nauwkeurig onderzoek. 'Stel dat Banbeck voor dageraad op weg ging, naar de zoom is geklommen, bij de Glibbervallen, de Blauwe Vlakte is overgestoken...'

'En de Blauwe Kloof?'

'Hij vermijdt de Blauwe Kloof in het noorden, komt over de Barchrug, rept zich heimelijk over de Skanse en rond de Barchspits...'

Carcolo bestudeerde de Noordwachtrichel met nieuwe, geschrokken belangstelling. Een flits van beweging, het glinsteren van schubben?

'Terugtrekken!' bulderde Carcolo. 'Naar de Barchspits! Ze zitten achter ons!'

Geschrokken verbraken zijn troepen de gelede-

ren en vluchtten over de zoom naar de ruwe uit-
steeksels van de Barchspits. Joaz, die merkte dat
zijn strategie doorzien was, stuurde groepen
Moordenaars uit om het leger uit de Gelukkige
Vallei te onderscheppen, het gevecht aan te binden, de troepen te vertragen en hun zo mogelijk de
gebroken hellingen van de spits te ontzeggen.

Carcolo dacht snel na. Zijn eigen Moordenaars
rekende hij tot zijn beste troepen en hij was er bijzonder trots op. Opzettelijk talmde hij nu, in de
hoop de tirailleurs van Banbeck tot een gevecht te
dwingen, ze vlug te vernietigen en toch nog de
dekking van de hellingen van de Barchspits te bereiken.

Maar de Moordenaars van Banbeck weigerden
dichtbij genoeg te komen en haastten zich om zo
hoog mogelijk op de spits te komen. Carcolo
stuurde zijn Hellevegen en Blauwe Gruwels vooruit; met een verschrikkelijk gesnauw bonden de
twee rijen de slag aan. De Banbeck-Hellevegen
kwamen aanstormen, kregen Carcolo's Schrijdende Moordenaars tegenover zich en werden gedwongen tot een springende aftocht.

De hoofdgroep van Carcolo's strijdmacht, opgewonden door de aanblik van vluchtende vijan-
den, was niet te houden. Ze zwenkten weg van de
spits, donderden de Breekstervlakte op. De Schrijdende Moordenaars haalden de Banbeck-Hellevegen in, klommen erop, gooiden ze piepend en
schoppend op hun rug en reten daarna de onbe-

schermde roze buiken open.

Banbecks Langhoornige Moordenaars kwamen aancirkelen, sloegen uit de flank toe op Carcolo's Schrijdende Moordenaars, spietsten ze met staalgepunte hoorns, doorboorden ze met lansen. Op een of andere manier zagen ze Carcolo's Blauwe Gruwels over het hoofd die bovenop ze sprongen. Met bijlen en goedendags velden ze de Moordenaars en vermaakten zich er dan gruwelijk mee door op een onderworpen Moordenaar te klauteren, zijn hoorn te grijpen, en vervolgens hoorn, huid en schubben af te ritsen van kop tot staart. Zo raakte Joaz Banbeck dertig Hellevegen kwijt en iets van twee dozijn Moordenaars. Toch had de aanval een doel. Hij stelde hem in staat zijn ridders, Duivels en Jaggers van de Noordwacht te laten afdalen voor Carcolo de hellingen van de Barchspits wist te beklimmen.

Carcolo trok zich terug in een schuine lijn tegen de pokdalige hellingen op en ondertussen stuurde hij zes man over de vlakte naar de kraal waar de Duivelskuikens bang voor het gevecht door elkaar krioelden. De mannen braken de poorten open, sloegen de oude mannen neer, loodsten de jonge Duivels over de vlakte naar de troepen van Banbeck. De hysterische kuikens gehoorzaamden hun instinct, klampten zich vast aan de nek van onverschillig welke draak ze tegenkwamen die daardoor sterk in zijn bewegingen werd belemmerd, want zijn eigen instincten verhinderden hem het kuiken met geweld te verwijderen.

Deze list, een briljante improvisatie, schiep een immense wanorde onder de Banbecktroepen. Er-vis Carcolo viel nu uit alle macht aan op het midden van de verzameling Banbeckstrijders. Twee eskaders Hellevegen waaierden uit om de mensen te bestoken; zijn Moordenaars – de enige categorie waarin hij Banbeck overtrof – werden uitgestuurd om de Duivels van de vijand bezig te houden, terwijl Carcolo's eigen Duivels, verwend, sterk, glanzend van olieachtige kracht, als slangen de Jaggers van Banbeck naderden. Ze schoten onder de grote bruine karkassen en zwiepten de stalen bal van vijfentwintig kilo aan de punt van hun staart tegen de binnenkant van de poten van de Jaggers.

Nu volgde er een daverende warboel. De gevechtslinies werden vaag, zowel mannen als draken werden verpletterd, uit elkaar gerukt, aan stukken gehakt. De lucht gierde van de kogels, floot van staal, galmde van het getrompetter, gefluit, geschreeuw, gekrijs en gebulder.

De roekeloos wilde tactieken van Carcolo kregen een resultaat dat gezien zijn troepenaantal buiten alle verhouding was. Zijn Duivels boorden zich steeds dieper in de verdwaasde en bijna hulpeloze Banbeck-Jaggers, terwijl de Moordenaars en Blauwe Gruwels van Carcolo de Banbeck-Hellevegen tegenhielden. Joaz Banbeck zelf, aangevallen door Hellevegen, redde het vege leven alleen door rond het gevecht te vluchten, waarna hij steun kreeg van een eskader Blauwe Gruwels. In razernij blies hij het sein terugtrekken en zijn leger ging achteruit de hellingen af, met achterlating van reeksen worstelende en schoppende gestalten.

Carcolo wierp alle remmingen van zich af en ging in het zadel staan en gaf een teken dat zijn eigen Jaggers in het strijdperk moesten treden. Tot dan toe had hij ze gekoesterd als zijn eigen kinderen.

Schril roepend, hikkend, strompelden ze log in het gewoel, links en rechts grote happen vlees afrukkend, mindere draken uiteen scheurend met hun armen, Hellevegen vertrappend, Blauwe Gruwels en Moordenaars grijpend en ze weeklagend en klauwend door de lucht smijtend. Zes Banbeckridders poogden het getij te keren door hun musketten van vlakbij in de demonische gezichten af te vuren; ze werden onder de voet gelopen en niet meer gezien.

Het gevecht verplaatste zich slordig naar de Breekstervlakte. De kern van de strijd werd minder geconcentreerd, het voordeel van de Gelukkige Vallei verdween. Carcolo aarzelde, een uitbundig lang ogenblik. Hij en zijn troepen stonden nog in brand; de bedwelming van het onverwachte succes tintelde in hun hersens. Maar hier op Breekster, konden ze daar op tegen de grotere macht van Banbeck? De voorzichtigheid gebood dat Carcolo zich terugtrok op de Barchspits om het meeste profijt te trekken van zijn beperkte overwinning.

Nu al was er een sterk peloton Duivels gevormd dat op het punt stond op te rukken tegen zijn karige aantal Jaggers. Bast Givven naderde, kennelijk wachtend op bevel om terug te trekken. Maar Carcolo talmde nog, genietend van de slachting die zijn armzalige zes Jaggers aanrichtten.

Bast Givvens zwaarmoedige gezicht stond streng. 'Terugtrekken, terugtrekken! We worden uitgeroeid als hun flanken ons insluiten!'

Carcolo greep zijn elleboog. 'Kijk! Zie je waar die Duivels zich verzamelen, kijk waar Joaz Banbeck heenrijdt! Zodra ze aanvallen, stuur dan van beide kanten zes Schrijdende Moordenaars; sluit hem in, dood hem!'

Givven deed zijn mond open om te protesteren, keek waar Carcolo heenwees, reed toen weg om zijn bevel uit te voeren.

Hier kwamen de Banbeck-Duivels, stil en zeker op weg naar de Jaggers van de Gelukkige Vallei. Joaz, rechtop in zijn zadel, sloeg hun vordering gade. Opeens zaten aan beide kanten de Schrijdende Moordenaars bovenop hem. Vier van zijn ridders en zes jonge kornetten schoten schreeuwend naar hem toe om hem te beschermen. Staal kletterde op staal en op schubben. De Moordenaars vochten met zwaard en goedendag; de ridders, wiens musketten nutteloos waren, stelden zich teweer met hartsvangers en verdwenen een voor een in het gewoel. Steigerend hakte de Moordenaarskorporaal naar Joaz die de slag wanhopig afweerde. De

Moordenaar hief zwaard en goedendag tegelijk – en van vijftig meter afstand plofte er een kogel in zijn oor. Gek van pijn liet hij zijn wapens vallen, viel voorover op Joaz, kronkelend en schoppend. Blauwe Gruwels van Banbeck vielen aan; de Moordenaars schoten heen en weer over de spartelende korporaal, naar Joaz stekend, naar hem schoppend, eindelijk vluchtend voor de Blauwe Gruwels.

Ervis Carcolo kreunde van teleurstelling; slechts een halve seconde had hem de overwinning ontzegd. Joaz Banbeck, gekneusd, toegetakeld, misschien gewond, was levend ontkomen.

Over de kam van de heuvel kwam een ruiter: een ongewapende jongen die een wankelende Spin aanspoorde. Bast Givven maakte Carcolo op hem opmerkzaam. 'Een boodschapper uit de vallei, met een dringend bericht.'

De jongen sprong over de vlakte naar Carcolo, schreeuwend, maar zijn stem ging verloren in het lawaai. Eindelijk was hij dicht genoeg genaderd. 'De Grondvormen, de Grondvormen!'

Carcolo zakte in als een halflege zak. 'Waar?'

'Een enorm zwart schip, half zo breed als de vallei. Ik was op de hei, ik kon ontsnappen.' Hij wees, jankend.

'Spreek op, jongen!' zei Carcolo schor. 'Wat doen ze?'

'Ik heb het niet gezien; ik kwam u waarschuwen.'

Carcolo tuurde over het slagveld; de Duivels van Banbeck hadden bijna zijn Jaggers bereikt, die langzaam achteruit gingen, de koppen omlaag, de slagtanden volledig uitgestrekt.

Carcolo gooide in wanhoop zijn handen op; hij beval Givven: 'Blaas de aftocht, staak het vechten!'

Met een witte doek zwaaiend reed hij rond het strijdgewoel naar waar Joaz Banbeck nog op de grond lag. De rillende Moordenaar werd net van zijn benen gelicht. Joaz staarde omhoog, zijn gezicht even wit als de doek van Carcolo. Toen hij Carcolo zag werden zijn ogen groot en donker, zijn mond strak.

Carcolo stamelde: 'De Grondvormen zijn weer geland; ze hebben de Gelukkige Vallei overvallen, ze vernietigen mijn volk!'

Joaz Banbeck kwam geholpen door zijn ridders overeind. Hij stond te wankelen, met slappe armen, Carcolo zwijgend in het gezicht kijkend.

Carcolo begon weer: 'We moeten een wapenstilstand uitroepen; deze strijd is een verspilling! Laten we met al onze troepen naar de Gelukkige Vallei marcheren en de monsters aanvallen voor ze ons allemaal doden! Ah, denk je eens in wat we hadden kunnen bereiken met de wapens van de sacerdotes!'

Joaz bleef zwijgen. Tien seconden gingen voorbij. Carcolo riep boos: 'Kom nu, wat zeg je ervan?'

Met schorre stem sprak Joaz: 'Ik zeg: geen wapenstilstand. Jij hebt mijn waarschuwing in de wind geslagen, jij dacht het Banbeckdal te kunnen plunderen. Ik zal je geen genade betonen.'

Carcolo's mond viel open, een rood gat onder de boog van zijn snorren. 'Maar de Grondvormen...'

'Ga terug naar je troepen. Jij bent evengoed mijn vijand als de Grondvormen: waarom zou ik een keus tussen jullie twee maken? Bereid je voor om te vechten voor je leven; ik geef je geen wapenstilstand.'

Carcolo trok zich terug, zijn gezicht even bleek als dat van Joaz. 'Nooit zul je rust kennen. Ook al win je deze slag hier op de Breekster, toch zul je nimmer een overwinning smaken. Ik zal je achtervolgen tot je schreeuwt om verlossing.'

Banbeck wenkte zijn ridders. 'Ransel deze hond terug naar zijn soort. Carcolo dwong zijn Spin achteruit, weg van de dreigende zwepen, en draafde heen. Het getij van de strijd was gekeerd. De Banbeck-Duivels waren langs zijn Blauwe Gruwels gebroken; een van zijn Jaggers was verdwenen; een tweede, geconfronteerd met drie oprukkende Duivels, liet zijn reusachtige kaken klappen, zwaaide met zijn monsterlijke zwaard. De Duivels sloegen en deden schijnaanvallen met hun stalen ballen, repten zich naar voren. De Jagger hieuw, verbrijzelde zijn zwaard op de rotsharde bepantsering van de Duivels; ze waren onder hem, smakten hun stalen ballen tegen zijn monsterlijke poten. Hij probeerde opzij te springen, viel toen zwaar om.

De Duivels ritsten zijn buik open, en nu had Carcolo nog maar vijf Jaggers over.

'Terug!' schreeuwde hij. 'Losmaken!'

Zijn troepen zwoegden tegen de Barchspits op, het front een kolkende massa schubben, pantsering, flikkerend metaal. Gelukkig voor Carcolo stond hij met zijn rug naar hoge grond, en na tien verschrikkelijke minuten slaagde hij erin een ordelijke terugtocht te vormen. Er waren nog twee Jaggers gevallen; de drie resterende bevrijdden zich koortsig. Keien grijpend bombardeerden ze de aanvallers die na een reeks uitvallen er tevreden mee waren op een afstand te blijven. In ieder geval was Joaz na het horen van Carcolo's nieuws niet in de stemming om nog meer troepen kwijt te raken.

Wanhopig uitdagend met zijn zwaard zwaaiend leidde Carcolo zijn troepen terug rond de spits, daarna over de naargeestige Skanse. Joaz keerde terug naar het Banbeckdal. Het nieuws van de overval van de Grondvormen had zich overal verspreid. De mannen reden nuchter en stil terug, achter en boven zich kijkend. Zelfs de draken leken onder de indruk en waren onderling rusteloos aan het mopperen.

Toen ze de Blauwe Vlakte overstaken ging de bijna altijd aanwezige wind liggen; de stilte van het land versterkte de deprimerende stemming. De Hellevegen begonnen net als de mensen naar de hemel te kijken. Joaz vroeg zich af hoe zij het wisten, hoe zij de Grondvormen konden waarnemen.

Hij speurde zelf de hemel af en toen zijn leger de rotswand afdaalde meende hij hoog boven de Gethronberg een snel zwart vierkantje te zien, dat even later achter een rotspunt verdween.

Acht

Ervis Carcolo en de restanten van zijn leger haastten zich halsoverkop de Skanse over, door de wildernis van ravijnen en kloven aan de voet van Despoire, de kale woestenij ten westen van de Gelukkige Vallei op. Alle pretenties van militaire precisie waren overboord geworpen. Carcolo ging voorop, zijn Spin snikte van vermoeidheid, en achter hem stampten ongeorganiseerd eerst de Moordenaars en Blauwe Gruwels, op de hielen gezeten door Hellevegen, daarna de Duivels, laag boven de grond terwijl hun stalen ballen over de rotsen schraapten en vonken sproeiden. Ver in de achterhoede sjokten de logge Jaggers met hun oppassers.

Aan de rand van de Gelukkige Vallei bleef het leger abrupt staan, stampend en piepend. Carcolo sprong van zijn Spin, rende naar voren, staarde in het dal.

Hij had het schip verwacht, maar de werkelijkheid van het ding was zo ogenblikkelijk en intens dat hij schrok. Het was een afgeplatte cilinder, glanzend zwart, die in een groenteveld rustte niet ver van de bouwvallige Gelukkige Stad. Gepolijste metalen schijven aan beide uiteinden zinderden en glinsterden met vluchtige zwemen kleur. Er waren drie ingangen: voor, in het midden en achter, en vanuit de middensluis liep een hellingbaan naar de grond.

De Grondvormen waren wreed efficiënt aan het werk gegaan. Uit het dorp stroomde een onregelmatige rij mensen, opgedreven door Zware Troepen. Als ze het schip naderden liepen ze door een inspectieapparaat dat door een tweetal Grondvormen werd bediend. Een reeks instrumenten en de ogen van de Grondvormen taxeerden iedere man, vrouw en kind, classificeerden ze volgens een of ander systeem dat niet direct duidelijk was, waarna de gevangenen hetzij de helling werden opgedreven en het schip in, dan wel naar een cabine in de buurt werden gedrongen. Eigenaardig genoeg, ongeacht hoeveel mensen erbinnen gingen, scheen de cabine nooit vol te raken.

Carcolo wreef zijn voorhoofd met trillende vingers, sloeg zijn ogen neer. Toen hij weer opkeek stond Bast Givven naast hem en samen staarden ze in de vallei. Achter hen klonk een kreet van alarm. Zich snel omdraaiend zag Carcolo een zwarte rechthoekige vlieger die geruisloos omlaag zweefde vanaf de Gethron. Met zijn armen zwaaiend rende Carcolo naar de rotsen, terwijl hij brullend bevel gaf dekking te zoeken. Draken en mannen haastten zich tegen de wanden op. De vlieger gleed boven langs. Er ging een luik in open waardoor een lading granaten werd gelost. Ze troffen in een ratelend salvo de grond en er vlogen kiezelstenen de lucht in, rotssplinters, stukken bot, schubben, huid en vlees en allen die geen dekking konden bereiken werden aan repen gescheurd. De Hellevegen verging het redelijk goed. De Duivels, hoewel gekneusd en geschramd, hadden het allemaal overleefd. Twee van de Jaggers waren blind geworden en konden niet meer vechten tot er nieuwe ogen waren aangegroeid.

De vlieger gleed terug. Ettelijke mannen vuurden hun musketten af – een schijnbaar futiele daad van verzet, maar de vlieger werd geraakt en beschadigd. Hij kantelde, zwenkte, schoot in een brullende bocht omhoog, dook op zijn rug neer en botste in een schitterende oranje vuurgloed tegen de berg. Carcolo schreeuwde van maniakale vreugde, sprong op en neer, rende naar de rand van de klif, schudde met zijn vuist naar het schip beneden hem. Maar hij kalmeerde snel en stond er triest en huiverend bij. Toen keerde hij zich naar de slordige troep mannen en draken die weer omlaag waren gekropen. Carcolo schreeuwde hees: 'Wat zeggen jullie? Zullen we vechten? Zullen we ze aanvallen?'

Het bleef stil; Bast Givven antwoordde met kleurloze stem: 'We zijn machteloos. We kunnen niets bereiken. Waarom zelfmoord plegen?'

Carcolo wendde zich af, zijn hart te vol voor woorden. Givven sprak duidelijk de waarheid. Ze zouden gedood worden of aan boord van het schip worden gesleept; en dan, op een wereld die te vreemd was om hem zich te kunnen voorstellen, zou er een onverdraaglijk akelig gebruik van ze worden gemaakt. Carcolo balde zijn vuisten, keek met bittere haat naar het oosten. 'Joaz Banbeck, jij hebt me dit aangedaan! Toen ik nog voor mijn volk had kunnen vechten heb jij mij opgehouden!'

'De Grondvormen waren al hier,' zei Givven met onwelkome redelijkheid. 'We hadden niets kunnen doen omdat we niets hebben om iets mee te doen.'

'We hadden kunnen vechten!' brulde Carcolo. 'We hadden het Kruis af kunnen stormen, ze overstelpen met onze macht! Honderd krijgers en vierhonderd draken! Die zijn niet te versmaden!'

Bast Givven oordeelde dat verder debatteren zinloos was. Hij wees. 'Nu onderzoeken ze onze fokkerijen.'

Carcolo keek, lachte wild. 'Ze zijn verbijsterd! Ze zijn vol ontzag! En daar hebben ze ook reden voor!'

Givven was het met hem eens. 'Ik kan me voorstellen dat de aanblik van een Duivel of een Blauwe Gruwel – om de Jaggers maar niet te noemen – ze stof tot overdenking geeft.'

Beneden in de vallei was de wrede activiteit afgelopen. De Zware Troepen marcheerden het schip in; een tweetal reusachtige mannen van drie en een halve meter hoog kwam naar buiten, tilde de cabine op en droeg hem over de plank in het schip. Carcolo en zijn mannen sloegen hen met uitpuilende ogen gade. 'Reuzen!'

Bast Givven grinnikte droog. 'De Grondvormen staren naar onze Jaggers; wij staan paf van hun Reuzen.'

Weldra begaven de Grondvormen zich terug in hun schip. De loopplank werd binnengehaald, de sluizen sloten zich. Uit een koepel in de boeg kwam een bundel energie die elk van de drie fokkerijen op zijn beurt raakte en ieder gebouw ontplofte in een fontein van zwarte stenen.

Carcolo kreunde zacht binnensmonds, maar zei niets.

Het schip huiverde, dreef omhoog; Carcolo brulde een bevel en mannen en draken renden naar dekking. Plat liggend achter keien keken ze toe terwijl de zwarte cilinder oprees uit het dal en naar het westen dreef.

Carcolo lachte, een gekakel van leedvermaak ontbloot van vreugde. Bast Givven keek hem zijdelings aan. Was Ervis Carcolo gek geworden? Hij wendde zich af. Het was van weinig belang.

Carcolo nam opeens een besluit. Hij beende naar een van de Spinnen, klom erop, draaide zich in het zadel om en zag zijn mannen aan. 'Ik rijd naar het Banbeckdal. Joaz Banbeck heeft zijn best gedaan om mij te beroven; ik zal mijn best doen tegen hem. Ik geef geen bevelen. Kom mee of blijf hier, wat jullie willen. Denk alleen hieraan! Joaz Banbeck wilde ons niet toestaan de Grondvormen te bestrijden!'

Hij reed weg. De mannen staarden naar de geplunderde vallei, draaiden zich om en keken Carcolo na. Het zwarte schip gleed net over de berg Despoire. De vallei had niets meer voor ze. Mompelend en brommend riepen ze de dodelijk vermoeide draken, en gingen op weg over de naargeestige bergwand.

Negen

Ervis Carcolo reed zijn Spin in gestrekte draf door de Skanse. Ontzagwekkende rotspieken verhieven zich hoog aan weerskanten. De felle zon hing halverwege de zwarte hemel. Achter hem lagen de wallen van de Skanse; voor hem uit de Barchrug, de Barchspits en de Noordwachtrand. Onverschillig dat zijn Spin was afgemat joeg Carcolo hem verder; grijsgroen mos vloog achteruit door de aanraking van zijn wilde poten, de smalle kop hing laag, schuim wapperde uit zijn kieuwspleten. Het kon Carcolo niets schelen. Zijn geest was ontdaan van alles behalve haat – voor de Grondvormen, voor Joaz Banbeck, voor Aerlith, voor de mens, voor de menselijke geschiedenis. In de buurt van de Noordwacht wankelde de Spin en viel. Hij bleef kreunend liggen, zijn nek uitgerekt, zijn poten slap. Carcolo stapte af, keek achterom over de golvende Skanse om te zien hoeveel van zijn troepen hem gevolgd waren. Een man op een rustig dravende Spin bleek Bast Givven te zijn, die weldra bij hem stopte. Hij bekeek de gevallen Spin. 'Maak zijn buikriem los, dan herstelt hij zich sneller.'

Carcolo keek boos, want hij meende een nieuwe klank te horen in Givvens stem. Toch boog hij zich over de gevallen draak en trok de brede bronzen gesp los. Givven stapte af, strekte zijn armen, masseerde zijn magere benen. Hij wees. 'Het Grondvormschip daalt in het Banbeckdal.'

Carcolo knikte bars. 'Ik zou de landing willen bijwonen.' Hij gaf de Spin een schop. 'Kom, sta op, heb je nog niet lang genoeg uitgerust? Wil je soms dat ik loop?'

De Spin jammerde van moeheid, maar worstelde zich toch overeind. Carcolo begon erop te klimmen, maar Bast Givven legde een weerhoudende hand op zijn schouder. Carcolo keek woedend achterom: brutaliteit! Givven zei kalm: 'Maak de buikriem vast, anders valt u op de stenen en breekt weer al uw botten.'

Met een binnensmondse hatelijke opmerking zette Carcolo de gesp weer vast. De Spin gaf een kreet van wanhoop. Zonder zich eraan te storen steeg Carcolo op en de Spin kwam met trillende poten in beweging.

Vooruit rees de Barchspits op als de steven van een wit schip. Hij scheidde de Noordwachtrichel van de Barchrug. Carcolo stopte even om het landschap op te nemen. Hij trok aan zijn snorren.

Givven bleef tactvol zwijgen. Carcolo keek achterom over de Skanse naar de lusteloze sliert van zijn leger en sloeg linksaf.

Vlak onder Gethron passerend en langs de Hoge Kegels daalden ze door een oude waterloop af naar de Banbeckzoom. Hoewel ze noodgedwongen langzaam hadden gereden, had het schip van de Grondvormen zich niet sneller bewogen en was pas bezig met de landing. De schijven aan voor- en achtersteven wervelden rond met razende kleuren.

Carcolo gromde bitter. 'Reken er maar op dat Joaz Banbeck krabt als hij jeuk heeft. Geen hond te bekennen; hij is in zijn tunnels gevlucht, met draken en alles.' Zijn mond tuitend bracht hij een verwijfde parodie van Banbecks stem. '"Ervis Carcolo, mijn beste vriend, er bestaat maar één antwoord op zo'n aanval. Graaf tunnels!" En ik antwoordde hem: "Ben ik een sacerdote, dat ik onder de grond moet wonen? Graaf en delf jij maar, Joaz Banbeck, doe wat je wilt, ik ben maar een ouderwets man; ik ga alleen onder de rotsen als het moet."'

Givven haalde nauwelijks merkbaar zijn schouders op.

Carcolo ging verder: 'Tunnels of niet, ze peuteren hem er wel uit. Zo nodig ploffen ze het hele dal open. Aan kunstjes hebben ze geen gebrek.'

Givven grinnikte sarcastisch. 'Joaz Banbeck weet ook wel een kunstje of twee – zoals we tot onze schade hebben ondervonden.'

'Laat hem vandaag twee dozijn Grondvormen vangen,' snauwde Carcolo. 'Dan geef ik toe dat hij slim is.' Hij liep helemaal naar de rand van de afgrond en bleef daar in het volle zicht van het schip staan. Givven sloeg hem uitdrukkingloos gade.

Carcolo wees. 'Aha! Kijk daar!'

'Ik niet,' zei Givven. 'Ik heb te veel respect voor de wapens van de Grondvormen.'

'Ah bah!' spuwde Carcolo. Toch ging hij iets achteruit. 'Er lopen draken op Kergans Weg. Ondanks al Banbecks gepraat over tunnels.' Hij tuurde een ogenblik of twee naar het noordelijke eind van het dal, wierp toen gefrustreerd zijn handen in de lucht. 'Joaz Banbeck zal niet naar mij hier toekomen; ik kan niets doen. Tenzij ik naar het dorp wandel, hem opspoor en hem neersla, zal hij mij ontsnappen.'

'Tenzij de Grondvormen jullie allebei pakken en in dezelfde kooi opsluiten,' zei Givven.

'Bah!' mopperde Carcolo, en trad opzij.

Tien

De kijkplaten die het Joaz Banbeck mogelijk maakten de hele vallei in de lengte en de breedte te overzien werden voor het eerst voor een praktisch doel gebruikt. Hij had het plan voor dit systeem opgevat terwijl hij zat te spelen met een stel oude lenzen en het al vlug weer van zich afgezet. Maar op een dag, toen hij handel dreef met de sacerdotes in de grot onder Gethron, had hij voorgesteld dat zij de optische apparatuur voor zo'n systeem ontwierpen en leverden.

De blinde oude sacerdote die het handeldrijven

leidde had dubbelzinnig geantwoord: de mogelijkheid van zo'n project zou onder zekere omstandigheden het overwegen wel waard kunnen zijn. Er gingen drie maanden voorbij: het plan raakte op de achtergrond van Joaz' gedachten. Toen informeerde de sacerdote in de handelsgrot of Joaz nog steeds van zins was het kijksysteem te installeren; zo ja, dan kon de optische installatie direct geleverd worden. Joaz stemde in met de prijs en ging naar het dal terug met vier zware kisten. Hij liet de nodige tunnels hakken, installeerde de lenzen, en merkte dat als hij de studeerkamer donker maakte, hij alle hoeken van het Banbeckdal onder zijn bereik had.

Nu, terwijl het Grondvormschip de hemel verduisterde, stond Joaz in zijn studeerkamer de landing van het enorme zwarte gevaarte gade te slaan.

Achterin de kamer weken kastanjebruine gordijnen uiteen. Daar stond minstreelmaagd Phade die het weefsel met strakke vingers vasthield. Haar gezicht was bleek, haar ogen helder als opalen. Met schorre stem riep ze: 'Het schip des doods; het is gekomen om zielen te oogsten!'

Joaz schonk haar een stenen blik en keerde zich weer naar het glasscherm. 'Het schip is duidelijk te zien.'

Phade rende naar voren, greep Joaz' arm, trok hem naar zich toe en keek hem aan. 'Laten we proberen te ontsnappen! De bergen in, de Hoge Kegels; laat ze ons niet zo vroeg al pakken!'

'Niemand houdt je tegen,' zei Joaz onverschillig. 'Ontsnap waarheen je maar wilt.'

Phade staarde hem wezenloos aan, keek toen naar het scherm. Het immense zwarte schip zonk onheilspellend nadrukkelijk. De schijven aan boeg en achtersteven glimmerden nu parelmoerkleurig. Phade keek terug naar Joaz, likte haar lippen af. 'Ben je niet bang?'

Joaz glimlachte flets. 'Wat voor zin heeft het om weg te rennen? Hun Spoorzoekers zijn sneller dan Moordenaars, gemener dan Hellevegen. Ze ruiken je op een mijl afstand, halen je precies uit het hart van de Kegels.'

Phade rilde van bijgelovige angst. Ze fluisterde: 'Laat ze mij dan dood meenemen; ik kan niet levend met ze meegaan.'

Joaz vloekte opeens. 'Kijk waar ze landen! In ons beste veld met bellegarde!'

'Wat maakt het uit?'

'Wat het uitmaakt? Moeten wij ophouden met eten omdat zij een bezoek afleggen?'

Phade keek hem versuft aan, zonder begrip. Ze liet zich langzaam op haar knieën zinken en begon de rituele gebaren van de Theurgische cultus te maken: handpalmen omlaag tegen beide zijden, langzaam omhoog tot de rug van de hand de oren raakte, onder gelijktijdig uitsteken van de tong. Steeds opnieuw, terwijl haar ogen hypnotisch gespannen in de leegte staarden.

Joaz negeerde de gebaren tot Phade, met haar

gezicht verwrongen tot een fantastisch masker, begon te zuchten en piepen; toen wapperde hij met
de panden van zijn jasje voor haar gezicht. 'Hou op
met dat dwaze gedoe!'

Phade zonk kermend op de vloer; Joaz' lippen
vertrokken geërgerd. Ongeduldig hees hij haar
overeind. 'Luister jij, deze Grondvormen zijn geen
spoken en geen engelen des doods; het zijn alleen
maar bleke Hellevegen, de grondvormen van onze
draken. Dus hou nu op met die idioterie, anders
laat ik je door Rife weghalen.'

'Waarom maak je je niet gereed? Je kijkt alleen
en doet ...niets.'

'Er is verder niets dat ik doen kan.'

Phade slaakte een diepe, rillende zucht, staarde
dof naar het scherm. 'Ga je tegen ze vechten?'

'Natuurlijk.'

'Hoe kun je je in 's hemelsnaam teweerstellen
tegen zulke wonderbaarlijke macht?'

'We doen wat we kunnen. Ze hebben onze draken nog niet ontmoet.'

Het schip kwam tot rust in een paarse en groene
akker aan de overkant van het dal, nabij de opening van de Clybournekloof. De sluis gleed open,
een loopplank rolde naar buiten. 'Kijk,' zei Joaz,
'daar zie je ze.'

Phade staarde naar de rare bleke gedaanten die
aarzelend op de plank waren verschenen. 'Ze lijken
vreemd en verwrongen als zilveren puzzels voor
kinderen.'

'Het zijn de Grondvormen. Uit hun eieren kwamen onze draken. Zij hebben hetzelfde gedaan met mensen. Kijk, daar zie je hun Zware Troepen.'

In rijen van vier, exact gelijk lopend, kwamen de Zware Troepen het schip uit marcheren. Vijftig meter van het schip bleven ze staan. Het waren drie rotten van twintig man – korte mannen met massieve schouders, dikke nekken, strenge neergetrokken gezichten. Ze droegen een harnas gemaakt van overlappende zwarte en blauwe metalen schubben, een brede gordel met pistool en zwaard. Zwarte epauletten die over hun schouders staken steunden een korte ceremoniële flap van zwarte stof die over hun rug hing; op hun helmen stond een kam van scherpe stekels, hun kniehoge laarzen waren voorzien van schopmessen.

Nu reed een aantal Grondvormen uit. Hun rijdieren, wezens die nog maar in de verte op mensen leken, renden op handen en voeten, de rug hoog boven de grond. Hun hoofden waren lang en haarloos, hun lippen hingen los en trilden. De Grondvormen stuurden ze met achteloze klapjes van een rijzweep en eenmaal op de grond beland lieten ze ze levendig door de bellegarde galopperen. Intussen rolde een ploeg Zware Troepen een driewielig mechanisme van de loopplank en richtte de ingewikkelde snuit ervan op het dorp.

'Nooit eerder hebben zij zich zo zorgvuldig voorbereid,' mompelde Joaz. 'Hier komen de Spoorzoekers.' Hij telde ze. 'Maar twee dozijn?

Misschien zijn ze lastig te fokken. Bij de mens volgen de generaties elkaar maar langzaam op, terwijl draken ieder jaar een nest eieren leggen.'

De Spoorzoekers liepen opzij en bleven daar in een rusteloze groep staan. Het waren broodmagere schepsels van ruim twee meter lang met bolle zwarte ogen, brede neuzen, een kleine, terugwijkende mond die toegeknepen was alsof hij bedoeld was om te kussen. Van hun smalle schouders bengelden lange armen als touwen. Onder het wachten bewogen ze hun knieën op en neer, scherp de hele vallei opnemend, voortdurend rusteloos bewegend. Na hen kwam een groep Wapenvoerders – ongewijzigde mannen met wijde voorschoten en groen met gele hoeden. Ze brachten nog twee driewielige toestanden mee die ze meteen begonnen af te stellen en te testen.

De hele groep werd stil en gespannen. De Zware Troepen traden voorwaarts met bonkende, zwaarbenige passen, hun handen gereed bij hun pistolen en zwaarden. 'Hier komen ze aan,' zei Joaz. Phade maakte een gesmoord geluid van wanhoop, knielde, begon opnieuw met haar Theurgische gesticulaties. Vol afkeer beval Joaz haar te vertrekken en liep daarna naar een paneel uitgerust met zes directe communicatiedraden, die onder zijn toezicht waren geconstrueerd. Hij sprak in drie van de telefoons, stelde zich gerust dat zijn verdedigers waakzaam waren, en ging terug naar zijn geslepen glasschermen.

Door de akker kwamen de Zware Troepen aan-gemarcheerd, de zware gezichten hard, getekend met omlaag wijzende plooien. Aan beide flanken rolden de Wapenvoerders hun driewielige mechanismen voort maar de Spoorzoekers bleven naast het schip wachten. Ongeveer een dozijn Grondvormen reed achter de Zware Troepen aan met bolle wapens op hun rug.

Honderd meter van de poort naar Kergans Weg, buiten bereik van de musketten van Banbeck, hielden de indringers halt. Een van de Zware Troepen rende naar een van de karren van de Wapenvoerders, stak zijn schouders onder een tuig en ging rechtop staan. Nu droeg hij een grijze machine waaruit een paar zwarte bollen staken. De soldaat repte zich naar het dorp als een enorme rat, terwijl uit de zwarte bollen een flux stroomde die bedoeld was om de zenuwstroompjes van de Banbeckverdedigers in de war te sturen en ze aldus roerloos te maken.

Er klonken ontploffingen, tussen de rotsen verschenen rookwolkjes in spleten en gaten. Naast de soldaat spatten kogels in de grond en sommige ketsten op zijn harnas. Onmiddellijk spoten hittestralen uit het schip tegen de rotsen. In zijn studeerkamer stond Joaz te glimlachen. De rookwolkjes waren lokaas, de schoten zelf kwamen van andere plekken. Zigzaggend en met zijn lichaam rukkend ontweek de soldaat een regen van kogels, rende onder de poort door, waarboven twee mannen wachtten. Aangetast door de flux wankelden ze en verstijfden. Toch lieten ze een grote steen vallen die de soldaat raakte op de basis van zijn nek en hem tegen de grond smeet. Hij sloeg met zijn armen, op en neer, rolde om en om; toen sprong hij lenig overeind, sprintte de vallei weer in met grote sprongen en duiken om eindelijk te struikelen en halsoverkop tegen de grond te slaan, waarna hij schoppend en huiverend bleef liggen.

Het Grondvormleger zag dit zonder kennelijke zorgen of belangstelling aan.

Een ogenblik gebeurde er niets. Toen kwam er uit het schip een onzichtbaar trillingsveld dat over de rotswand speelde. Waar het brandpunt doel trof stegen er stofkolommen op en stortten losse stukken steen omlaag. Een man die op een richel lag sprong overeind, dansend en springend, en dook vijftig meter diep naar zijn dood. Toen het veld een van Joaz' spioneergaten passeerde droeg de trilling door naar de studeerkamer waar hij een zenuwvermalend gejank deed ontstaan. Het veld streek verder langs de klif; Joaz wreef zijn pijnlijk bonzende hoofd.

Intussen vuurden de Wapenvoerders een van hun instrumenten af: eerst kwam er een gedempte ontploffing, daarna boog er een wiebelende grijze bol door de lucht. Niet accuraat gericht trof de bom de poort en barstte open in een grote vlaag geelwit gas. Nogmaals explodeerde het mechanisme en deze keer werd de bom precies in Kergans

Weg geplant, die nu verlaten was zodat de bom geen effect had.

In zijn studeerkamer wachtte Joaz grimmig. Tot nu toe hadden de Grondvormen alleen maar voorzichtige, bijna speelse stappen genomen; er zouden zeker ernstiger inspanningen volgen.

De wind verdreef het gas; de situatie bleef als tevoren. De enige slachtoffers waren tot zover de ene soldaat en een schutter van Banbeck geweest.

Nu kwam er uit het schip een lans van rode vlammen, grof en definitief. De rots bij de poort spatte uiteen; splinters zongen en floten; de Zware Troepen sjokten voorwaarts.

Joaz sprak in zijn telefoons, maande zijn kapiteins tot behoedzaamheid, opdat ze niet ingingen op schijnaanvallen en zich blootstelden aan een nieuwe gasbom.

Maar de Zware Troepen bestormden Kergans Weg – een verachtelijk roekeloze daad in Joaz' opvatting. Hij gaf een kort bevel; uitgangen en tunnels zwermden zijn draken – Blauwe Gruwels, Duivels, Hellevegen.

De vierkante Troepen staarden ernaar met afzakkende kaken. Hier waren onverwachte tegenstanders. Kergans Weg weergalmde van kreten en bevelen. Eerst trokken ze terug, toen, met de moed der wanhoop, vielen ze razend aan. Heen en weer door Kergans Weg woedde het gevecht. Bepaalde dingen werden al vroeg duidelijk. In de nauwe pas konden noch de pistolen van de Troepen, noch de met staal verzwaarde staarten van de Duivels doeltreffend gebruikt worden. Hartsvangers waren nutteloos tegen drakenpantsers, maar de scharen van de Blauwe Gruwels, de dolken van de Hellevegen, de bijlen, zwaarden, slagtanden en klauwen van de Duivels maakten bloedige metten met de Troepen. Eén soldaat en één Helleveeg waren min of meer aan elkaar gewaagd; hoewel de soldaat, die de draak met zijn massieve armen beetgreep, zijn armen afrukte en zijn nek brak door hem naar achter te duwen, vaker won dan de draak. Maar als twee of drie Hellevegen tegenover een enkele soldaat stonden, dan was zijn lot bezegeld. Zodra hij er een aanviel, verpletterde een andere zijn benen, maakte hem blind of hakte zijn keel open.

Zo werden de Zware Troepen teruggedreven naar de bodem van het dal, met achterlating van twintig dode kameraden in Kergans Weg. De Banbeckmannen heropenden het vuur, maar ook nu weer met gering resultaat.

Joaz keek toe vanuit zijn studeerkamer, zich afvragend wat de volgende tactiek van de Grondvormen zou zijn. Het duurde niet lang voor hij opheldering kreeg. De Troepen formeerden zich opnieuw, bleven hijgend staan, terwijl de Grondvormen heen en weer reden en inlichtingen vroegen, vermaanden, raad gaven, berispten.

Uit het zwarte schip kwam een vlaag energie die de rotswand boven Kergans Weg trof en de studeerkamer schudde van de klap.

Joaz stapte weg van zijn kijkschermen. Wat gebeurde er als een straal een van zijn lenzen trof? Zou de energie niet rechtstreeks in zijn richting worden geleid? Hij verliet de kamer toen deze beefde onder het geweld van een nieuwe explosie.

Hij rende door een gang, een trap af, kwam uit in een van de centrale galerijen waar hij een schijnbare verwarring aantrof. Vrouwen en kinderen met bleke gezichten, die zich dieper in de berg terugtrokken, drongen langs draken en mannen in gevechtsuitrusting die een van de nieuwe tunnels inliepen. Joaz keek enkele ogenblikken toe om zich ervan te vergewissen dat paniek geen deel uitmaakte van de verwarring en toen sloot hij zich aan bij zijn soldaten in de tunnel naar het noorden.

In een vroeger tijdperk was een groot stuk van de rotswand aan de kop van de vallei afgekalfd waardoor een puinhoop van rotsblokken en keien ontstond die de Banbeck Kegels werd genoemd. Daar, in een spleet, opende de nieuwe tunnel, en hier ging Joaz met zijn krijgers heen. Achter hem, aan de andere kant van het dal, klonk het gerommel van ontploffingen toen het zwarte schip het dorp Banbeck begon te verwoesten.

Joaz, die om de hoek van een kei heen gluurde, keek woedend toe terwijl grote platen rots van de klif begonnen te schilferen. Toen werden zijn ogen groot van verbazing, want de Grondvormtroepen hadden een buitengewone versterking gekregen. Hij zag acht Reuzen die tweemaal zo groot waren als een normale man – monsters met een borst als een ton, knoestig van arm en been, met bleke ogen en bossen strogeel haar. Ze torsten een bruin en rood pantser met zwarte epauletten en hadden zwaarden, goedendags en plofkanonnen die over hun schouder hingen.

Joaz dacht na. De aanwezigheid van de Reuzen was geen reden om zijn strategie te wijzigen, die toch maar onbestemd en intuïtief was. Hij moest erop voorbereid zijn verliezen te lijden, en hij kon alleen maar hopen dat hij de Grondvormen nog grotere verliezen kon toebrengen. Maar wat maalden zij om de levens van hun troepen? Minder dan hij om zijn draken gaf. En als zij het dorp verwoestten, het dal onbewoonbaar maakten – hoe kon hij hun dan overeenkomstige schade toebrengen? Hij keek over zijn schouder naar de hoge witte kliffen, zich afvragend hoe nauwkeurig hij de positie van de hal der sacerdotes had geschat. En nu moest hij in actie komen; het was tijd. Hij wenkte een kleine jongen, een van zijn eigen zonen, die diep ademhaalde, zich blindelings uit de dekking van de rotsen wierp, kriskras over de bodem van het dal rende. Een ogenblik later rende zijn moeder naar buiten om hem te grijpen en razendsnel weer in de Kegels te verdwijnen.

'Goed gedaan,' complimenteerde Joaz hen. 'Heel goed.' Voorzichtig keek hij weer tussen de rotsblokken door. De Grondvormen staarden intensief in zijn richting.

Een lang ogenblik, terwijl Joaz tintelde van spanning, leek het dat ze zijn lokaas negeerden. Ze overlegden, namen een besluit, sloegen met hun zwepen op de leren billen van hun rijdieren. De wezens huppelden opzij, draafden toen naar de noordkant van het dal. De Spoorzoekers sloten zich bij de groep aan en daarna kwamen de Zware Troepen met een bonkende snelle pas. De Wapenvoerders volgden met hun driewielige mechanismen en log in de achterhoede kwamen de acht Reuzen. Over de akkers met bellegarde en wikke, over wijnstokken, heggen, bessestruiken en aanplanten van oliepeul trappelden de overvallers, alles met een zekere sombere voldoening vernietigend.

De Grondvormen hielden voorzichtig halt voor de Banbeck Kegels terwijl de Spoorzoekers vooruit renden als honden, over de eerste keien klauterden, zich hoog oprichtend om de lucht te beproeven op geuren, turend, luisterend, wijzend, weifelend tegen elkaar kwetterend. De Zware Troepen kwamen er behoedzaam bij, en hun nabijheid spoorde de Zoekers aan. Alle voorzichtigheid in de wind slaand sprongen ze het hart van de Kegels in, piepende kreten van ontsteltenis en consternatie uitstotend toen een dozijn Blauwe Gruwels op hen neerviel. Ze gristen naar hun hittepistolen en verbrandden in hun opwinding vriend en vijand zonder onderscheid. Glad en woest scheurden de Blauwe Gruwels ze aan repen. Om hulp krijsend, schoppend, spartelend, vluchtten degenen die daartoe in staat waren even overhaast als ze gekomen waren. Slechts twaalf van de oorspronkelijke vierentwintig bereikten de bodem van het dal; en zelfs toen ze nog aan hun vlucht bezig waren, zelfs toen ze het nog uitschreeuwden van opluchting dat ze aan de dood ontkomen waren, stortte een groep Langhoornige Moordenaars zich op hen en de overlevende Spoorzoekers werden neergeslagen, opengereten, aan stukken gehakt.

De Zware Troepen rukten op met schorre kreten van woede terwijl ze hun pistolen richtten en met hun zwaarden zwaaiden, maar de Moordenaars trokken zich ijlings terug in de beschutting van de rotsblokken.

In de Kegels hadden de mannen van Banbeck zich de hittepistolen toegeëigend die de Spoorzoekers hadden laten vallen en terwijl ze voorzichtig naar voren kwamen probeerden ze de Grondvormen te verbranden. Maar omdat ze onbekend waren met de wapens lieten ze na de vlam scherp te stellen of te condenseren en de Grondvormen, die maar licht geschroeid werden, ranselden hun rijdieren snel buiten schootsafstand. De Zware Troepen hielden nog geen dertig meter voor de Kegels stil en vuurden een salvo explosieve kogels af die twee van de Banbeckridders doodden en de anderen terugdwongen.

Op discrete afstand namen de Grondvormen de situatie op. De Wapenvoerders kwamen erbij en terwijl ze op instructies wachtten overlegden ze op lage toon met de rijdieren. Een van de Wapenvoerders werd nu geroepen en kreeg bevelen. Hij ontdeed zich van al zijn wapens en terwijl hij zijn lege handen in de lucht hield marcheerde hij naar de rand van de Kegels.

Hij koos een kloof tussen twee drie meter hoge stenen en liep vastberaden het rotsdoolhof in.

Een Banbeckridder escorteerde hem naar Joaz. Hier stonden toevallig ook een half dozijn Hellevegen. De Wapenvoerder bleef onzeker staan, paste zich aan, en benaderde de Hellevegen. Eerbiedig buigend begon hij te spreken. De Hellevegen luisterden zonder belangstelling en na een poos bracht een ridder hem bij Joaz.

'Draken regeren op Aerlith geen mensen,' zei Joaz droog. 'Hoe luidt je boodschap?'

De Wapenvoerder keek weifelend naar de Hellevegen, daarna somber naar Joaz. 'Bent u gemachtigd voor het hele nest te spreken?' Hij sprak langzaam, met een droge, lege stem, zijn woorden zorgvuldig kiezend.

Joaz herhaalde kortaf: 'Hoe luidt je boodschap?'

'Ik breng een integratie van mijn meesters.'

'Een "integratie"? Ik begrijp je niet.'

'Een integratie van de ogenblikkelijke vectoren van het lot. Een interpretatie van de toekomst. Zij wensen dat dit gevoel u in de volgende bewoordingen wordt overgebracht: "Verspil geen levens, noch die van ons, noch die van jullie. Jullie zijn waardevol voor ons en zullen overeenkomstig deze waarde behandeld worden. Geef je over aan onze Regel. Staak de spilzieke vernietiging van onderneming.'"

Joaz fronste. "'Vernietiging van onderneming"?'

'Die term doelt op de inhoud van jullie genen. Dit is het slot van de boodschap. Ik raad u aan toe te geven. Waarom jullie bloed verspillen, waarom jezelf vernietigen? Kom nu met mij te voorschijn; het is allemaal voor uw bestwil.'

Joaz lachte bros. 'Jij bent een slaaf. Hoe kun jij beoordelen wat het beste voor ons is?'

De Wapenvoerder knipperde met zijn ogen. 'Welke keus hebben jullie? Alle resterende haarden van ongeorganiseerd leven moeten worden uitgeroeid. De makkelijkste manier is de beste.' Hij neeg eerbiedig het hoofd naar de Hellevegen. 'Als u aan mijn woorden twijfelt, raadpleeg dan uw eigen Geëerden. Zij zullen u dezelfde raad geven.'

'Er zijn hier geen Geëerden,' zei Joaz. 'De draken vechten met ons en voor ons; zij zijn onze medesoldaten. Maar ik heb een tegenvoorstel. Waarom sluiten jij en je medemensen zich niet bij ons aan? Werp het juk van de slavernij af, word vrije mensen! Wij nemen het schip over en gaan de oude werelden van de mens zoeken.'

De Wapenvoerder toonde alleen maar beleefde interesse. "'Werelden van de mens"? Die bestaan niet. Er resteren alleen nog enkele overblijvenden als uzelf in troosteloze streken. Allen moeten uitgeroeid worden. Zou u er niet de voorkeur aan geven de Regel te dienen?'

'Zou jij niet liever een vrij man worden?'

Het gezicht van de Wapenvoerder toonde een lichte verbijstering. 'U begrijpt mij niet. Als u kiest...'

'Luister aandachtig,' zei Joaz. 'Jij en je kameraden kunnen je eigen meester zijn, tussen andere mensen leven.'

De Wapenvoerder fronste zijn voorhoofd. 'Wie zou er een wilde willen zijn? Van wie kunnen wij dan wetten, regering, leiding, orde verwachten?'

Joaz wierp zijn handen op van walging, maar deed nog een laatste poging. 'Daar zal ik voor zorgen; die verantwoordelijkheid neem ik op mij. Ga terug, dood alle Grondvormen – de Geëerden, zoals jullie ze noemen. Dat zijn mijn eerste bevelen...'

'Ze doden?' De stem van de Wapenvoerder was zacht van schrik.

'Dood ze.' Joaz sprak alsof hij het tegen een kind had. 'Dan zullen wij mensen het schip overnemen. We gaan de werelden zoeken waar de mensen machtig zijn...'

'Zulke werelden bestaan niet.'

'Ah, die moeten er zijn! Eens zwierf de mens naar alle sterren aan de hemel.'

'Niet meer.'

'En Eden dan?'

'Ik weet er niets van.'

Joaz maakte een hopeloos gebaar. 'Sluit je je bij ons aan?'

'Wat zou de betekenis van zo'n daad zijn?' zei de Wapenvoerder zacht. 'Kom mee, leg je wapens neer, onderwerp je aan de Regel.' Hij blikte weifelend naar de Hellevegen. 'Uw eigen Geëerden zullen passend behandeld worden, heb daarover geen angst.'

'Dwaas die je bent! Die "Geëerden" zijn slaven, net als jij een slaaf bent van de Grondvormen! We fokken ze om ons te dienen, net als jij gefokt bent! Wees tenminste zo fatsoenlijk om te erkennen hoe gedegenereerd je bent!'

De Wapenvoerder knipperde met zijn ogen. 'U spreekt in bewoordingen die ik niet helemaal begrijp. U geeft zich niet over?'

'Nee. We zullen jullie allemaal doden, als we het zo lang uithouden.'

De Wapenvoerder boog, draaide zich om, verdween tussen de rotsen. Joaz volgde hem om een blik op de bodem van het dal te slaan.

De Wapenvoerder bracht verslag uit aan de Grondvormen die zoals hun aard was onaandoenlijk luisterden. Toen gaven ze een bevel en de Zware Troepen vormden een rij en bewogen zich langzaam in de richting van de rotsen. Daarachter bonkten de Reuzen, hun plofkanonnen gereed, en ongeveer twintig Spoorzoekers, overlevenden van de eerste uitval. De Zware Troepen kwamen bij de rotsen, tuurden naar binnen. De Spoorzoekers klauterden naar boven, speurend naar hinderlagen, zonder die te vinden, waarna ze seinen gaven. Heel behoedzaam gingen de Zware Troepen de Kegels binnen, noodgedwongen hun formatie verbrekend. Twintig passen rukten ze op, vijftig, honderd. Vermetel geworden sprongen de wraakzuchtige Spoorzoekers naar voren over de rotsblokken en omhoog vlogen de Hellevegen.

Krijsend en vloekend klauterden de Spoorzoekers terug, achtervolgd door de draken. De Zware Troepen deinsden terug, zwaaiden toen hun wapens op, vuurden, en twee Hellevegen werden onder de laagste oksels geraakt, hun meest kwetsbare plek. Vallend tuimelden ze tussen de keien. Andere, razend geworden, sprongen pal op de Troepen. Er klonk gebrul, gekerm, kreten van schrik en pijn. De Reuzen doemden op en breeduit grijnzend plukten ze de Hellevegen los, trokken hun koppen af en wierpen ze hoog over de rotsen. De Hellevegen die daartoe in staat waren repten zich terug, met achterlating van een half dozijn gewonde Troepen, waarvan twee met opengereten kelen.

Opnieuw gingen de Troepen naar voren, terwijl de Spoorzoekers boven hen het terrein verkenden, maar nu voorzichtiger. De Spoorzoekers verstarden, schreeuwden een waarschuwing, de Troepen bleven abrupt staan, naar elkaar roepend, nerveus met hun wapens zwaaiend. Boven hen krabbelden de Spoorzoekers terug en uit de rotsen, over de rotsen, kwamen tientallen Duivels en Blauwe Gruwels. Zuur grijnzend vuurden de Troepen hun pistolen af; de lucht stonk van de brandende schubben, de ontplofte ingewanden. De draken stortten zich op de mannen, en nu begon er een verschrikkelijk gevecht tussen de rotsen, waar de pistolen, de goedendags, zelfs de zwaarden nutteloos waren door gebrek aan ruimte. De Reuzen kwamen log naar voren en werden op hun beurt aangevallen door Duivels. Verbijsterd verdwenen de idiote grijnzen van hun gezicht; onbeholpen sprongen ze weg van de met staal verzwaarde staarten, maar tussen de rotsen waren ook de Duivels in het nadeel. Hun stalen ballen kletterden vaker tegen rots dan tegen vlees.

De Reuzen herstelden zich en vuurden hun borstprojectoren af in het gewoel; Duivels werden evenzeer aan stukken gereten als Blauwe Gruwels en Zware Troepen, want de Reuzen maakten geen onderscheid.

Over de rotsen kwam een tweede golf draken – Blauwe Gruwels. Ze gleden neer op de hoofden van de Reuzen, al klauwend, stekend, scheurend. In razernij trokken de Reuzen aan de wezens, smeten ze tegen de grond, stampten erop en de Zware Troepen verbrandden ze met hun pistolen.

Om geen reden volgde er nu een pauze. Tien seconden, vijftien seconden verstreken, zonder geluid behalve gejammer en gekerm van de gewonde draken en mannen. De lucht was zwaar van naderend onheil en hier kwamen de Jaggers, torenend uit de gangen. Even keken Reuzen en Jaggers elkaar aan. Toen tastten de Reuzen naar hun plofprojectoren, terwijl wederom Blauwe Gruwels omlaag sprongen en nu de armen van de Reuzen beetgrepen. De Jaggers stampvoetten vlug naar voren. Drakenarmen grepen zich vast aan Reuzenarmen; knuppels en goedendags zwaaiden door de lucht, drakenpantsers en mensenpantsers schuurden over elkaar. Man en draak tuimelden om en om, pijn, schrik en verminking negerend.

De worsteling verstomde; snikken en gierende ademstoten vervingen het gebrul en weldra liepen acht Jaggers, superieur in massa en natuurlijke bewapening, wankelend weg van acht vernietigde Reuzen.

Intussen hadden de Troepen zich gegroepeerd. Stap voor stap, met hittestralen de krijsende Gruwels, Hellevegen en Duivels verbrandend die hen achtervolgden, trokken ze zich terug naar de bodem van het dal en waren eindelijk van de rotsen verlost. De achtervolgende Duivels, die er op gebrand waren op het open veld te vechten, sprongen in hun midden terwijl uit de flanken Langhoornige en Schrijdende Moordenaars kwamen opzetten. In een roekeloze juichstemming vielen een stuk of tien mannen op Spinnen, die plofkanonnen droegen die ze hadden buitgemaakt op de gevelde Reuzen, de Grondvormen en Wapenvoerders aan die naast de tamelijk nonchalante opstelling van hun driewielige wapens wachtten. De Grondvormen lieten hun menselijke rijdieren draaien en vluchtten schaamteloos terug naar het schip. De Wapenvoerders lieten hun wapens zwenken, richtten, en vuurden vlagen energie af. Een man viel, twee mannen, drie mannen – toen reden de anderen tussen de Wapenvoerders, die al gauw aan stukken waren gehakt, inclusief het welbespraakte individu dat als afgezant had gediend.

Juichend en schreeuwend zetten sommigen van de mannen de achtervolging van de Grondvormen in, maar de menselijke rijdieren, die zich springend bewogen als monsterlijke konijnen, droegen de Grondvormen even snel als de Spinnen de mensen vervoerden. Uit de Kegels klonk een hoornsignaal; de bereden mannen bleven staan, keerden, galoppeerden terug.

De Troepen deden strompelend een paar stappen achter ze aan, maar bleven toen van pure uitputting staan. Van de oorspronkelijke drie rotten waren er niet voldoende mannen over om één rot samen te stellen. De acht Reuzen waren gesneuveld, plus alle Wapenvoerders en bijna de volledige groep Spoorzoekers.

De Banbeckstrijders kwamen maar net op tijd terug in de Kegels. Uit het zwarte schip spatte een salvo explosieve kogels die de rotsen verbrijzelden op het punt waar ze verdwenen waren.

Op een door de wind gepolijste rotskaap boven het

dal hadden Ervis Carcolo en Bast Givven de veldslag waargenomen. De rotsen verborgen het grootste deel van de strijd; de kreten en het rumoer stegen zwak en blikkerig op, als het geluid van insekten. Ze zagen het glinsteren van drakenschubben, af en toe rennende mannen, schaduwen en flikkerende bewegingen, maar pas toen de gehavende strijdkrachten van de Grondvormen wegwankelden werd de uitkomst van de slag onthuld. Carcolo schudde wrang verbijsterd zijn hoofd. 'Die sluwe duivel, die Joaz Banbeck! Hij heeft ze afgeslagen, hij heeft hun beste troepen afgemaakt!'

'Het schijnt,' zei Bast Givven, 'dat draken bewapend met slagtanden, zwaarden en stalen ballen doeltreffender zijn dan mannen met pistolen en hittestralen – althans in een handgemeen.'

Carcolo gromde. 'Ik had het even goed kunnen doen, onder soortgelijke omstandigheden.' Hij keek Givven kwaadaardig aan. 'Vind je ook niet?'

'Zeker. Zonder enige twijfel.'

'Natuurlijk,' ging Carcolo verder, 'had ik niet het voordeel dat ik voorbereid was. De Grondvormen verrasten mij, maar Joaz Banbeck had niet met die belemmering te kampen.' Hij keek weer in het dal, waar het Grondvormschip de Kegels bombardeerde. De rotsen versplinterden. 'Zijn ze van plan de bergwand helemaal de vallei uit te ploffen? In welk geval Joaz Banbeck natuurlijk geen schuilplaats meer zou hebben. Hun strategie is duidelijk. En daar heb je wat ik al verwachtte: reservetroepen!'

Nog eens dertig Troepen waren de loopplank af komen marcheren en stonden onbeweeglijk in het vertrapte veld voor het schip.

Carcolo sloeg zijn vuist in zijn hand. 'Bast Givven, luister nu, luister aandachtig! Want het ligt in onze macht om een grootse daad te verrichten, om onze kansen te keren! Zie je daar de Clybourne-kloof, hoe die op het dal uitkomt, pal achter het schip van de Grondvormen?'

'Uw ambities zullen ons nog allemaal het leven kosten.'

Carcolo lachte. 'Kom, Givven, hoe vaak kun je sterven? Wat is een betere manier om je leven te verliezen dan tijdens de jacht op roem?'

Bast Givven draaide zich om, overzag de schamele restanten van het leger van de Gelukkige Vallei. 'We kunnen roem verwerven door een half dozijn sacerdotes op hun kop te timmeren. Ons op het Grondvormschip storten is bepaald niet nodig.'

'En toch,' zei Ervis Carcolo, 'moet dat gebeuren. Ik rij vooruit, jij verzamelt de troepen en volgt mij. We ontmoeten elkaar aan de kop van de Clybourne-kloof, aan de westkant van het dal!'

Elf

Voetenstampend, nerveuze vloeken mompelend, wachtte Ervis Carcolo aan de kop van het ravijn van Clybourne. De ene ongelukkige mogelijkheid na de andere trok aan zijn verbeelding voorbij. De

Grondvormen zouden kunnen zwichten voor de problemen van het Banbeckdal en vertrekken. Jo-az Banbeck zou kunnen aanvallen over de velden om zijn dorp te behoeden voor verwoesting en zo zichzelf vernietigen. Misschien was Bast Givven niet in staat de ontmoedigde mannen en opstandige draken van de Gelukkige Vallei in bedwang te houden. Elk van deze situaties kon bewaarheid worden; elk ervan zou een eind maken aan Carcolo's dromen van roem en hem reduceren tot een gebroken man. Heen en weer ijsbeerde hij over het gegroefde graniet; iedere paar seconden tuurde hij neer in het dal; iedere paar seconden draaide hij zich om om de zwarte horizon af te zoeken naar de donkere gedaanten van zijn draken, naar de langere silhouetten van zijn mannen.

Naast het zwarte schip wachtten slechts twee rotten Zware Troepen – zij die de oorspronkelijke aanval hadden overleefd plus de reserves. Ze hurkten in zwijgende groepjes, kijkend naar de kalme verwoesting van Banbeckdorp. Brok voor brok spleten de spitsen, torens en kliffen die de inwoners van Banbeck hadden gehuisvest en gleden omlaag in een voortdurend groeiende massa puin. Een nog sterker bombardement was aan de gang tegen de Kegels. Rotsblokken braken als eieren; rotssplinters zweefden naar het dal.

Er ging een half uur voorbij. Carcolo ging triest op een steen zitten.

Gerinkel, het sloffen van voeten. Carcolo sprong

op. Slingerend over de horizon kwamen de schamele resten van zijn legers, de mannen ontmoedigd, de Hellevegen nors en weerbarstig, slechts een handvol Duivels, Blauwe Gruwels en Moordenaars.

Carcolo's schouders zakten in. Wat viel er te bereiken met zo'n nietige troep? Hij haalde diep adem. Hij moest een dapper gezicht tonen! Nooit de moed opgeven! Hij nam zijn rondborstigste houding aan. Naar voren stappend riep hij: 'Mannen en draken! Vandaag hebben wij nederlagen ondervonden, maar de dag is nog niet verstreken. De verlossing is nabij! Wij zullen ons wreken op de Grondvormen én op Joaz Banbeck!' Hij tuurde naar de gezichten voor hem, hopend op tekenen van geestdrift. Ze keken hem zonder belangstelling aan. De draken, die er minder van begrepen, snoven zacht, sisten en fluisterden. 'Mannen en draken!' brulde Carcolo. 'Jullie vragen mij, hoe verwerven wij deze roem? En ik antwoord: volg mij, ik val aan! Vecht waar ik vecht! Wat betekent de dood voor ons, nu ons dal verwoest is?'

Opnieuw inspecteerde hij zijn troepen, en opnieuw trof hij slechts lusteloosheid en apathie. Carcolo bedwong de kreet van ergernis die in zijn keel oprees en wendde zich af. 'Oprukken!' riep hij bars over zijn schouder. Op zijn ingezakte Spin klimmend reed hij de kloof in.

Het schip van de Grondvormen beukte nu even machtig los op de Kegels als op het dorp. Van zijn uitkijkpunt op de westelijke rand van het dal sloeg Joaz Banbeck de verwoesting gade van de ene vertrouwde gang na de andere. Vertrekken en zalen en gangen die met toewijding uit de rots waren gehouwen, bewerkt en versierd, generaties lang gepolijst – allemaal open, verwoest, verpulverd. Nu was het doelwit de spits die Joaz' privé-vertrekken herbergde, zijn studeerkamer, zijn werkplaats, het reliquarium van de Banbecks.

Joaz balde zijn vuisten keer op keer, razend om zijn machteloosheid. Het doel van de Grondvormen was glashelder. Ze waren van plan het Banbeckdal te verwoesten, de mensen van Aerlith zo volledig mogelijk uit te roeien, en wat kon ze daarvan weerhouden? Joaz bestudeerde de Kegels. De oude puinhelling was bijna helemaal tot aan de steile rotswand zelf versplinterd. Waar was de opening naar de grote zaal van de sacerdotes? Zijn vergezochte hypothesen werden steeds onwaarschijnlijker. Over nog een uur was de vernietiging van Banbeckdorp compleet.

Joaz probeerde een ziek makend gevoel van hulpeloosheid te onderdrukken. Hij dwong zichzelf na te denken. Een uitval over de bodem van het dal stond duidelijk gelijk met zelfmoord. Maar achter het zwarte schip begon een ravijn dat leek op dat waarin Joaz verborgen stond te kijken: de Clybournekloof. De sluis van het schip stond wijd open, de Zware Troepen hurkten lusteloos op de grond. Joaz schudde met een zuur gezicht zijn hoofd. Ondenkbaar dat de Grondvormen zo'n voor de hand liggend gevaar over het hoofd zagen.

En toch – kon het niet zijn dat ze in hun arrogantie de mogelijkheid van zo'n brutale daad verwaarloosden?

Joaz kon geen besluit nemen. En nu spleet een spervuur van explosieven de spits uiteen waarin hij had gewoond. Het reliquarium, de oude schatkamer van de Banbecks, stond op het punt vernietigd te worden. Joaz maakte een blind gebaar, sprong overeind, riep de drakenruiter in wie hij het meeste vertrouwen had. 'Verzamel de Moordenaars, drie ploegen Hellevegen, twee dozijn Blauwe Gruwels, tien Duivels, alle ridders. We klimmen naar de Banbeckzoom, we dalen af in de Clybournekloof, we vallen het schip aan.'

De drakenruiter vertrok; Joaz gaf zich over aan sombere overpeinzingen. Als de Grondvormen hem in een val wilden laten lopen, dan slaagden ze daar nu in.

De drakenruiter kwam terug. 'De strijdmacht staat gereed.'

'We gaan.'

Door het ravijn stroomden de mannen en draken, uitkomend op de Banbeckzoom. Naar het zuiden afslaand kwamen ze aan de kop van de kloof van Clybourne.

Een ridder in de voorhoede van de kolonne gaf opeens het sein halthouden. Toen Joaz bij hem kwam wees hij naar sporen op de bodem van de kloof. 'Hier zijn onlangs mannen en draken langs-gekomen.'

Joaz bestudeerde de sporen. 'Omlaag door het ravijn.'

'Ja.'

Joaz stuurde een groep verkenners uit die even later wild terug kwamen galopperen. 'Ervis Carco-lo, met mannen en draken, valt het schip aan!'

Joaz liet zijn Spin snel draaien, rende halsover-kop door de halfdonkere spleet, gevolgd door zijn leger.

Kreten en schreeuwen van het slagveld bereik-ten hun oren toen ze de mond van de kloof nader-den. Toen hij het dal in kwam stormen trof Joaz er een wanhopig bloedbad aan. Draken en Zware Troepen hieuwen naar elkaar, staken, brandden, ploften. Waar was Ervis Carcolo? Joaz reed roeke-loos naar de ingangssluis die wijd openstond. Er-vis Carcolo had zich blijkbaar een weg in het schip gebaand. Een val? Of had hij Joaz' eigen plan om het schip in bezit te krijgen uitgevoerd? Hoe stond het met de Zware Troepen? Zouden de Grondvor-men veertig strijders opofferen om een handvol mannen te vangen? Onredelijk – maar nu hielden de Zware Troepen stand. Ze hadden een falanx ge-vormd, ze concentreerden de energie van hun wa-pens op de draken die zich nog verweerden. Een val? Zo ja, dan was hij dichtgeklapt – tenzij Carco-lo het schip al buitgemaakt had. Joaz verhief zich in het zadel, wenkte zijn mannen. 'Aanvallen!'

De Zware Troepen waren verdoemd. Schrijdende Moordenaars hieuwen van boven, Langhoornige Moordenaars staken van onder toe, Blauwe Gruwels knepen, knipten, scheurden. Het gevecht was voorbij, maar Joaz was al met mannen en Hellevegen de loopplank opgestormd. Van binnen kwam het zoemen en bonzen van energie, en ook geluiden van mensen – kreten, schreeuwen van woede.

De enorme logge massa van het schip overdonderde Joaz. Hij bleef staan, tuurde onzeker in het schip. Achter hem wachtten zijn mannen, binnensmonds mompelend. Joaz vroeg zichzelf: 'Ben ik even dapper als Carcolo? Wat is dapperheid eigenlijk? Ik ben doodsbang. Ik durf niet naar binnen, ik durf niet buiten te blijven.' Hij wierp alle voorzichtigheid overboord en galoppeerde naar voren, gevolgd door zijn mannen en een horde haastige Hellevegen.

Op hetzelfde moment wist Joaz dat Ervis Carcolo niet geslaagd was; boven hem sisten en zongen de kanonnen nog, Joaz' kamers spatten aan brokken. Een nieuw ontzaglijk salvo trof de Kegels, legde de naakte steen van de klif bloot, en wat tot dan verborgen was geweest – de rand van een hoge opening.

Joaz, in het schip, bleek zich in een voorkamer te bevinden. De binnendeur was gesloten. Hij gleed erheen, loerde door een rechthoekige ruit in wat een hal of gehoorzaal leek te zijn. Ervis Carcolo en zijn ridders hurkten tegen de verste wand, achteloos bewaakt door ongeveer twintig Wapenvoerders. Een groep Grondvormen zat in een nis aan de zijkant, ontspannen, rustig, in een contemplatieve houding.

Carcolo en zijn mannen waren niet helemaal onderworpen; opeens dook Carcolo razend vooruit. Een paarse knetterende energiestraal strafte hem, smeet hem terug tegen de wand.

In de nis zag een van de Grondvormen Joaz; hij stak flitsendsnel een arm uit en raakte een staf aan. Er klonk een alarmfluit en de buitendeur gleed dicht. Een val? Een noodprocedure? Het resultaat was hetzelfde. Joaz gebaarde naar vier zwaar beladen mannen. Ze kwamen naar voren, knielden, plaatsten op het dek vier van de plofkanonnen die de Reuzen naar de Kegels hadden gedragen. Joaz zwaaide zijn arm op. De kanonnen brulden; metaal kraakte, smolt; bittere geuren doordrongen de sluis. 'Opnieuw!' De kanonnen braakten vlammen; de binnendeur verdween. Wapenvoerders sprongen in de bres met stralende energiepistolen. Paars vuur sneed door de Banbeckrijen. Mannen kronkelden, krulden op, verlepten, vielen met verkrampte vingers en verwrongen gezichten. Voor de kanonnen konden reageren renden roodgeschubde gestalten vooruit. Hellevegen. Sissend en jammerend zwermden ze over de Wapenvoerders, de hal in. Voor de nis met de Grondvormen bleven ze abrupt staan, alsof ze door verbijstering werden bevangen. De mannen die achter de draken aan drongen werden stil: zelfs Carcolo keek gefascineerd toe. De Grondvormen werden geconfronteerd met hun veranderde afstammelingen, en elk zag in de ander een karikatuur. De Hellevegen kropen onheilspellend nadrukkelijk naar voren; de Grondvormen wapperden met hun armen, floten, koerden. De Hellevegen sprongen in de nis. Er volgde een afgrijselijk getuimel en gekwaak; Joaz werd misselijk op een of ander elementair niveau en wendde zich af. De worsteling was al gauw afgelopen. In de nis was het stil. Joaz draaide zich om en keek naar Ervis Carcolo, die terugstaarde, stom van woede, vernedering, pijn en angst.

Toen hij eindelijk zijn stem terugvond maakte Carcolo een onbeholpen dreigend en woedend gebaar. 'Scheer je weg!' kraste hij. 'Ik eis dit schip op. Tenzij je in je eigen bloed wilt baden – laat mij dan mijn verovering!'

Joaz snoof verachtelijk en keerde Carcolo zijn rug toe. Deze zoog zijn adem in en stortte zich met een gefluisterde vloek naar voren. Bast Givven greep hem vast, trok hem terug. Carcolo stribbelde tegen, Givven sprak ernstige woorden in zijn oor en eindelijk kalmeerde Carcolo, half huilend.

Intussen onderzocht Joaz de hal. De wanden waren kaal grijs; het dek had een vloer van buigzaam zwart schuim. Er was geen lichtbron te zien, maar overal was licht dat werd uitgestraald door de wanden. De lucht verkilde de huid en rook onaangenaam bitter. Een geur die Joaz eerder niet had opgemerkt. Hij kuchte, zijn trommelvliezen galmden. Een angstaanjagend vermoeden werd zekerheid; op zware benen rende hij naar de sluis, zijn troepen wenkend. 'Naar buiten, ze vergiftigen ons!' Hij strompelde de loopplank op, nam diepe teugen van de frisse lucht; zijn mannen en Hellevegen volgden hem en daarna kwamen in een wankele ren Carcolo en zijn mannen. Onder de massa van het enorme schip stond de groep naar adem te snakken, wankelend op slappe benen, de ogen dof en troebel.

Boven hen, onkundig van hun aanwezigheid of onverschillig ervoor, losten de scheepskanonnen een nieuw salvo. De spits met Joaz' kamers wankelde, stortte in; de Hoge Kegels waren niet meer dan een hoop rotssplinters en een hoge, gebogen opening. Binnen de opening zag Joaz even een donkere gedaante, een glans, een structuur... Toen werd hij afgeleid door een onheilspellend geluid achter zijn rug. Uit een sluis aan de andere kant van het schip was een nieuwe macht Zware Troepen gekomen – drie nieuwe rotten van elk twintig mannen, begeleid door een dozijn Wapenvoerders met vier rollende projectoren.

Joaz werd slap van ontsteltenis. Hij keek naar zijn troepen; die waren niet in staat om aan te vallen of te verdedigen. Er bleef maar één mogelijkheid over. Vluchten. 'Naar de Clybournekloof!' riep hij met dikke stem.

Strompelend, wankelend, vluchtten de restanten van de twee legers onder de boeg van het reusachtige zwarte schip door. Achter hen marcheerden de Zware Troepen in keurige rijen, maar zonder haast.

Eenmaal om het schip heen verstijfde Joaz. In de opening van de Clybournekloof wachtte een vierde rot Zware Troepen, met ook weer een Wapenvoerder en zijn wapen.

Joaz keek naar links en naar rechts, op en neer door het dal. Waarheen vluchten, waarheen? De Kegels? Die bestonden niet meer. Een langzame, gewichtige beweging in de opening die vroeger door rotsen was afgesloten trok zijn aandacht. Er schoof een donker voorwerp naar buiten; een sluiter week opzij, een heldere schijf glitterde. Bijna tegelijk boorde een potlood van melkblauwe straling naar, in, door de achterste schijf van het Grondvormschip. Binnenin gierde gekwelde machinerie, tegelijkertijd omhoog en omlaag, en aan beide uiteinden van het spectrum onhoorbaar eindigend. De glans van de schijven verdween; ze werden grijs, dof; het fluisteren van kracht en leven dat het schip doordrong maakte plaats voor een doodse stilte; het schip zelf was dood, en zijn massa, die opeens niet meer werd gesteund, groef zich kreunend in de grond.

De Zware Troepen staarden ontzet naar de dode schaal die hen naar Aerlith had gebracht. Joaz maakte gebruik van hun besluiteloosheid en riep:

'Terugtrekken! Naar het noorden door het dal!'

De Zware Troepen volgden hen koppig; de Wapenvoerders riepen echter bevel dat ze moesten blijven staan. Ze plaatsten hun wapens, richtten ze op de grot achter de Kegels. In de opening bewogen naakte gedaanten zich met koortsige haast; langzaam werd er zware machinerie verschoven, nieuwe plekken licht en schaduw ontstonden en opnieuw sloeg de melkblauwe schacht van energie naar buiten. Hij was omlaag gericht; Wapenvoerders, wapens, tweederde van de Zware Troepen verdwenen als motten in een oven. De overlevende Troepen bleven staan, gingen onzeker terug naar het schip.

In de mond van de Clybournekloof wachtte de laatste rot Zware Troepen. De enkele Wapenvoerder daar boog zich over zijn driewielig mechanisme. Noodlottig zorgvuldig stelde hij het wapen in; in de donkere opening waren de naakte sacerdotes als razenden aan het werk, duwend, trekkend, terwijl de spanning op hun pezen en harten en geesten zich aan iedere man in het dal meedeelde. De schacht troebel blauw licht spoot het dal in, maar te vroeg. Hij smolt de rots honderd meter ten zuiden van de kloof, en nu kwam er uit het kanon van de Wapenvoerder een plens oranje en groen vuur. Seconden later ontplofte de opening van de grot. Rotsen, lichamen, stukken metaal, glas en rubber beschreven bogen door de lucht.

Het geluid van de explosie echode door het dal.

En het donkere ding in de grot was vernietigd, was niet meer dan rafels en repen metaal.

Joaz haalde driemaal diep adem, wierp de effecten van het narcotisch gas met louter wilskracht van zich af. Hij wenkte zijn Moordenaars. 'Val aan; dood hen!'

De Moordenaars draafden erheen; de Zware Troepen lieten zich plat vallen en richtten hun wapens maar stierven spoedig. In de mond van de Clybournekloof rukten de laatste Troepen wild op, om ogenblikkelijk te worden aangevallen door Hellevegen en Blauwe Gruwels die hen zijdelings langs de klif genaderd waren. De Wapenvoerder werd doorboord door een Moordenaar; verdere tegenstand was er in het dal niet, en het schip lag open voor de aanval.

Joaz ging zijn mannen voor op de loopplank, door de sluis in de nu schemerige hal. De plofkanonnen die zijn mannen op de Reuzen hadden buitgemaakt lagen waar ze ze hadden neergegooid.

Drie poorten kwamen op de hal uit, en die werden vlug doorgebrand. De eerste onthulde een wentelhelling; de tweede een lange, verlaten hal bezet met rijen kooien; de derde een soortgelijke hal waarin de kooien in gebruik waren. Bleke gezichten keken over de randen van de kooien; bleke handen bewogen. Op en neer door de middengang marcheerden lompe vrouwen in grijze mantels. Ervis Carcolo rende naar binnen, stompte de vrouwen opzij en tuurde in de kooien. 'Naar buiten,' bulderde hij. 'Jullie zijn gered, jullie zijn gered! Snel naar buiten nu het kan!'

Maar er werd maar weinig weerstand geboden door een half dozijn Wapenvoerders en Spoorzoekers, en helemaal geen door de twintig Mecaniciens – dit waren kleine, magere mannen met scherpe gezichten en donker haar – en al evenmin door de zestien resterende Grondvormen, en allen werden naar buiten geleid als gevangenen.

Twaalf

Rust heerste in het dal, de rust van uitputting. Mannen en draken lagen languit in de vertrapte akkers; de gevangenen stonden op een neerslachtig kluitje naast het schip. Af en toe klonk er een enkel geluid dat de stilte benadrukte – het kraken van afkoelend metaal in het schip, de val van een stuk steen van de verbrijzelde kliffen; af en toe gemompel van de bevrijde inwoners van de Gelukkige Vallei, die apart zaten van de overlevende soldaten.

Ervis Carcolo was de enige die rusteloos leek. Een poos lang stond hij met zijn rug naar Joaz en sloeg met de kwast van zijn schede op zijn dij. Hij keek naar de hemel waar Skene, een duizelend felle punt, vlak boven de kliffen in het westen hing, draaide zich toen om, bestudeerde de versplinterde opening aan de noordkant van het dal die gevuld was met de verwrongen restanten van de constructie van de sacerdotes. Hij gaf een laatste klap op zijn dij, keek naar Joaz Banbeck, draaide zich om en beende door de uitgeputte groep bewoners van de Gelukkige Vallei, bruuske bewegingen makend zonder bepaalde betekenis. Hier en daar bleef hij staan om iemand heftig toe te spreken of vleiend te bepraten, kennelijk met het doel zijn verslagen volk op te monteren en een hart onder de riem te steken.

Hierin slaagde hij niet, en even later draaide hij zich scherp om, marcheerde over de akker naar waar Joaz Banbeck languit op de grond lag. Carcolo staarde op hem neer. 'Welaan,' zei hij nors, 'het gevecht is voorbij, het schip is veroverd.'

Joaz richtte zich op zijn elleboog op. 'Dat is waar.'

'Laat er over één punt geen misverstand bestaan,' zei Carcolo. 'Het schip en de inhoud zijn van mij. Een oeroude regel stelt de rechten vast van degene die het eerst aanvalt. Op deze regel baseer ik mijn aanspraken.'

Joaz keek verrast op, bijna geamuseerd. 'Volgens een nog veel oudere regel heb ik het schip al in bezit genomen.'

'Die aanspraak betwist ik!' zei Carcolo heftig. 'Wie...'

Joaz stak vermoeid zijn hand op. 'Zwijg, Carcolo! Je leeft alleen nog omdat ik ziek ben van bloed en geweld. Terg mijn geduld niet!'

Carcolo wendde zich af, met onderdrukte woede aan zijn schede rukkend. Hij keek op, keerde zich weer naar Joaz. 'Hier komen de sacerdotes, die het schip eigenlijk verwoest hebben. Ik herinner je aan mijn voorstel, waardoor we deze verwoesting en slachting hadden kunnen voorkomen.'

Joaz grijnsde. 'Je voorstel deed je pas twee dagen geleden. Bovendien hebben de sacerdotes geen wapens.'

Carcolo staarde hem aan alsof hij buiten zinnen was. 'Hoe hebben ze het schip dan vernietigd?'

Joaz haalde zijn schouders op. 'Ik kan er alleen maar naar raden.'

Carcolo vroeg sarcastisch: 'En wat raad je dan?'

'Ik vraag me af of zij het chassis van een ruimteschip hadden gebouwd. Ik vraag me af of zij de voortstuwingsstraal tegen het Grondvormschip hebben gericht.'

Carcolo perste zijn lippen twijfelend op elkaar. 'Waarom zouden de sacerdotes een ruimteschip bouwen?'

'Daar komt de Demie aan. Waarom vraag je het hem niet?'

'Dat zal ik doen,' zei Carcolo waardig.

Maar de Demie die gevolgd werd door vier jonge sacerdotes en liep alsof hij droomde, passeerde hem zonder te spreken.

Joaz ging op zijn knieën zitten en keek hem na. De Demie was kennelijk van plan over de loopplank in het schip te gaan. Joaz sprong overeind, volgde hem, versperde de toegang tot de plank. Beleefd vroeg hij: 'Wat zoekt u, Demie?'

'Ik wil aan boord gaan van het schip.'

'Met welk doel? Ik vraag het natuurlijk louter uit nieuwsgierigheid.'

De Demie nam hem een ogenblik op zonder te antwoorden. Zijn gezicht was ingevallen en strak; zijn ogen glommen als ijsbloemen. Ten slotte antwoordde hij, met een stem die schor was van emotie: 'Ik wil bepalen of het schip gerepareerd kan worden.'

Joaz dacht even na, en sprak toen op zachtzinnige, redelijke toon: 'Die kennis kan voor u van weinig belang zijn. Zouden de sacerdotes zich zo volkomen onder mijn bevel willen stellen?'

'Wij gehoorzamen niemand.'

'In dat geval kan ik jullie moeilijk meenemen als ik vertrek.'

De Demie draaide zich op zijn hielen om en even leek het alsof hij weg zou lopen. Zijn blik viel op de verbrijzelde opening aan de andere kant van het dal, en hij keerde zich weer naar Joaz. Toen sprak hij niet met de afgemeten stem van de sacerdote maar in een uitbarsting van smart en woede. 'Dit is jouw werk, jij staat daar te pronken, je vindt jezelf heel vindingrijk en slim; jij dwong ons in actie te komen, en zo onszelf en onze toewijding te schenden!'

Joaz knikte, met een flauwe, wrede grijns. 'Ik wist dat de opening achter de Hoge Kegels moest liggen. Ik vroeg me af of jullie misschien een ruimteschip aan het bouwen waren. Ik hoopte dat jullie je tegen de Grondvormen zouden verzetten, en zo mijn doel zouden dienen. Ik geef uw beschuldigingen toe. Ik heb u en uw bouwsel als wapen gebruikt, om mijzelf en mijn volk te redden. Heb ik kwaad gedaan?'

'Kwaad of goed – wie kan dat wegen? Jij hebt onze inspanningen van meer dan achthonderd Aerlithjaren verspild. Je hebt meer vernield dan je ooit kunt vervangen.'

'Ik heb niets vernield, Demie. De Grondvormen hebben jullie schip vernield. Als jullie hadden meegewerkt bij de verdediging van het Banbeck-dal zou deze ramp nooit gebeurd zijn. Jullie kozen de neutraliteit, jullie waanden je immuun voor onze smart en pijn. Zoals je ziet was dat niet het geval.'

'En intussen is onze arbeid van achthonderd en twaalf jaren voor niets geweest.'

Joaz vroeg alsof hij het niet wist: 'Waarom hadden jullie een ruimteschip nodig? Waar willen jullie heenreizen?'

De ogen van de Demie vlamden even intens op als Skene. 'Als het mensenras verdwenen is, dan gaan wij op reis. Wij trekken door de melkweg, wij bevolken de verschrikkelijke oude werelden opnieuw, en de nieuwe geschiedenis van het heelal begint op die dag, met het verleden weggewist alsof het nooit heeft bestaan. Als de grefs jullie vernietigen, wat kan ons dat schelen? Wij wachten alleen maar op de dood van de laatste man in het heelal.'

'Beschouwen jullie jezelf niet als mensen?'

'Wij zijn zoals jullie ons kennen – bovenmensen.'

Bij Joaz' schouder lachte iemand ruw. Joaz keek en zag dat het Ervis Carcolo was. '"Bovenmensen"?' spotte Carcolo. 'Arme naakte schooiers van de grotten. Waarmee kunnen jullie je superioriteit bewijzen?'

De mond van de Demie kromde zich omlaag, de groeven van zijn gezicht werden dieper. 'Wij hebben onze *tands*. Wij hebben onze kennis. Wij hebben onze kracht.'

Carcolo wendde zich af, opnieuw ruw lachend. Joaz zei met onderdrukte stem: 'Ik voel meer medelijden met jullie dan jullie ooit voor ons hebben gevoeld.'

Carcolo kwam terug. 'En waar hebben jullie geleerd hoe je een ruimteschip moet bouwen? Zelf bedacht? Of ontleend aan de werken van de mensen van voor jullie, de mensen uit de oude tijden?'

'Wij zijn de uiteindelijke mensen,' zei de Demie. 'Wij weten alles wat de mensen ooit hebben gedacht, gesproken of ontworpen. Wij zijn de laatsten en de eersten, en als de ondermensen zijn verdwenen, zullen wij de kosmos vernieuwen, even onschuldig en fris als regen.'

'Maar de mensen zijn niet verdwenen en zullen ook niet verdwijnen,' zei Joaz. 'Terugslagen komen voor, ja, maar is het heelal niet groot? Ergens zweven de werelden van de mens. Met hulp van de Grondvormen en hun Mecaniciëns zal ik het schip repareren en op weg gaan om deze werelden te vinden.'

'Je zult vergeefs zoeken,' zei de Demie.

'Bestaan deze werelden niet?'

'Het menselijk rijk is verdwenen; mensen bestaan alleen nog in zwakke groepjes.'

'En Eden dan, het oude Eden?'

'Een mythe, niet meer.'

'En mijn marmeren globe?'

'Een stuk speelgoed, een verbeeldingsrijk verzinsel.'

'Hoe kunt u daar zeker van zijn?' vroeg Joaz, zorgelijk in weerwil van zichzelf.

'Heb ik niet gezegd dat wij de hele geschiedenis kennen? Wij kunnen in onze *tands* kijken en diep in het verleden zien, tot de herinneringen vaag en troebel worden, en nimmer herinneren wij ons de planeet Eden.'

Joaz schudde koppig zijn hoofd. 'Er moet een wereld bestaan waar de mens oorspronkelijk vandaan kwam. Noem hem Aarde of Tempe of Eden – ergens bestaat hij.'

De Demie wilde iets zeggen, maar hield toen in een zeldzaam vertoon van besluiteloosheid zijn mond. Joaz zei: 'Misschien heeft u gelijk. Misschien zijn wij de laatste mensen. Maar ik zal gaan zoeken.'

'Ik ga met je mee,' zei Ervis Carcolo.

'Je hebt geluk als je morgen nog leeft,' antwoordde Joaz.

Carcolo rechtte zijn rug. 'Wijs mijn aanspraken op het schip niet zo achteloos van de hand.'

Joaz zocht naar woorden, maar kon er geen vinden. Wat moest hij doen met de weerspannige Carcolo? Hij kon de hardvochtigheid niet opbrengen om te doen waarvan hij wist dat hij het moest doen. Hij stelde het uit, keerde Carcolo zijn rug toe. 'Nu kent u mijn plannen,' zei hij tegen de Demie. 'Als u mij niet lastig valt, zal ik u niet lastig vallen.'

De Demie trad langzaam achteruit. 'Ga dan. Wij zijn een passief volk; wij verachten onszelf voor onze daden van vandaag. Misschien was het onze grootste vergissing. Maar ga, zoek je vergeten wereld. Je zult slechts ergens tussen de sterren omkomen. Wij zullen wachten, zoals we altijd gewacht hebben.' Hij draaide zich om en liep weg, gevolgd door de vier jongere sacerdotes, die al die tijd ernstig aan zijn zij hadden gestaan.

Joaz riep hem na: 'En als de Grondvormen terugkomen? Vecht u dan met ons mee? Of tegen ons?'

De Demie gaf geen antwoord maar liep naar het noorden. Zijn lange witte haar zwaaide over zijn magere schouderbladen.

Joaz keek hem even na, keek links en rechts door het verwoeste dal, schudde verwonderd en verbaasd zijn hoofd, bestudeerde toen weer het grote zwarte schip.

Skene raakte de westelijke kliffen; meteen werd het licht zwakker, de lucht killer. Carcolo benaderde Joaz. 'Vannacht houd ik mijn mensen hier in het Banbeckdal, en tegen de ochtend stuur ik ze naar huis. Intussen stel ik voor dat jij met mij aan boord van het schip gaat om een voorlopig onderzoek in te stellen.' Joaz haalde diep adem. Waarom ging het hem niet makkelijker af? Tweemaal had Carcolo hem naar het leven gestaan en als de rollen omgekeerd waren zou hij Joaz geen genade hebben getoond. Hij dwong zich te handelen. Zijn plicht tegenover zichzelf, tegenover zijn mensen, tegenover zijn uiteindelijk doel was glashelder.

Hij riep zijn ridders die de buitgemaakte hittepistolen droegen. Ze kwamen naderbij.

Joaz zei: 'Neem Carcolo mee naar de Clybournekloof. Executeer hem. Doe dit meteen.'

Protesterend, brullend werd Carcolo meegesleurd. Joaz wendde zich met bezwaard gemoed af en zocht Bast Givven op. 'Ik zie u aan voor een verstandig man.'

'Als zodanig beschouw ik mijzelf.'

'Ik stel u aan het hoofd van de Gelukkige Vallei. Neem uw volk mee, voor het donker valt.'

Bast Givven liep zwijgend naar zijn mensen. Ze kwamen in beweging en vertrokken weldra uit het Banbeckdal.

Joaz stak het dal over naar de massa puin die

Kergans Weg verstopte. Hij stikte bijna van woede toen hij de verwoesting bekeek en even wankelde zijn besluit. Zou het niet toepasselijk zijn om het zwarte schip naar Coralyne te vliegen en wraak te nemen op de Grondvormen? Hij liep rond naar de spits die zijn kamers had bevat en door een vreemd toeval stiet hij op een rond brok geel marmer.

Het op zijn handpalm wegend keek hij op naar de hemel waar Coralyne al rood stond te flikkeren, en probeerde orde te scheppen in zijn geest.

De mensen van het Banbeckdal waren uit de diepe tunnels te voorschijn gekomen. Phade, de minstreelmaagd, kwam hem zoeken. 'Wat een verschrikkelijke dag,' mompelde ze. 'Wat een afschuwelijke gebeurtenissen; wat een grootse overwinning.'

Joaz wierp het stukje geel marmer terug in het puin. 'Ongeveer zo denk ik er ook over. En waar het allemaal eindigt, niemand weet daar minder van dan ik.'